W9-CNM-463

Величайшие истории любви

Валерия Орлова

ЧЕТЫРЕ ЛЮБВИ МАРШАЛА ЖУКОВА

ЛЮБОВЬ КАК БОЙ

Энтраст Трейдинг
Москва, 2014

УДК 821.161.1
ББК 84(2Рос=Рус)6-4
О-66

Орлова, В.

О-66 Четыре любви маршала Жукова. Любовь как бой / В. Орлова. – М. : Энтраст Трейдинг, 2014. – 256 с. – (Величайшие истории любви).

ISBN 978-5-386-07956-7

Георгий Жуков, прославленный полководец, маршал Советского Союза, участник нескольких войн; герой, который на протяжении многих лет творил историю нашей страны... Он вынес на своих плечах тяготы сражений, подчинил себе непобедимую армию, звук его имени вызывал трепет у солдат и у правителей, ему завидовали, и им восхищались. Однако даже лучшие из людей подвержены слабостям. Жуков знал горький вкус соблазна, и его томили желания молодости. Это история не о полководце и не о войне. Это история о любви, сильной и нежной, иногда бурной, а порой и тихой, которая способна вознести человека на вершину величия, а затем столкнуть в пропасть...

УДК 821.161.1
ББК 84(2Рос=Рус)6-4

ISBN 978-5-386-07956-7

Содержание

Часть 1 5
Часть 2 87
Часть 3 143

Част 1

Как тяжело на склоне лет вспоминать былое: сколько выветрилось из памяти, сколько осталось в прошлом, позабытое и утратившее краски... Однако кое-что забыть невозможно. Детство, проведенное в старом доме, родная деревня, теплые руки матери, запах свежескошенной травы и теплого хлеба. Да, от этого времени в мыслях осталось только хорошее, несмотря на то что было много и плохого....

Георгий родился в Калужской области, в Стрелковке, маленькой и убогой деревушке на реке Угодке. Там и было-то всего несколько домов, многие из них отдавали стариной и вообще дышали на ладан. Однако жилище Георгия, казалось, было как минимум вдвое старше остальных построек. Маленький, покосившийся домик одной частью надежно осел в земле, крыша и бока – видимо, старясь защититься от лютых зимних холодов, – обросли мхом, кое-где была плесень. Сама крыша походила на ветхую шляпу, которую, казалось, мог сорвать любой порыв ветра. Внутри была всего одна комната с двумя окнами. Георгий на всю жизнь запомнил запах плесени и сырости. Этот запах буквально сшибал любого, кто входил внутрь, хоть гости и были редки в этом сиротливом домишке.

Кто, когда и при каких обстоятельствах построил этот дом, было известно. Раньше – рассказывали местные старожилы – здесь жила вдова Анна Жукова. Она была одинока. Она взяла на воспитание мальчика, которого какая-то неизвестная, наверняка убитая горем женщина, оставила на пороге приюта.

Теплым дождливым днем Анна решилась взять к себе в дом этого несчастного маленького кроху. Кто были его родители – неизвестно, откуда он появился – жители деревни могли лишь гадать. В рукаве мальчика нашли записку, в которой говорилось: «Сына моего зовите Константином». И все. Больше никаких сведений. Анна вдохнула, взяла ребенка на руки, и поняла, что больше никогда не сможет оставить его.

Анна последовала просьбе неизвестной матери и назвала приемыша Константином. Это и был будущий отец Георгия.

Тяжело пришлось Константину. Приемная мать, которую он очень любил и всегда считал себя обязанным ей жизнью, умерла, едва он достиг восьмилетнего возраста. Мальчику ничего не оставалось, кроме как найти работу. Он пошел в услужение к сапожнику, который жил в селе Угодский Завод. Сапожник этот был человеком тяжелого нрава, бивал мальчишку, да и сквернословил почем зря. То были тяжелые дни для Кости. Работа сводилась к делам по хозяйству. Мальчик занимался всем — от мытья полов до дойки коров. День начинался рано, еще до пения петухов, и к концу рабочих часов Костя чувствовал себя измотанным и подавленным. Что ж! Такова жизнь. Мальчик не жаловался, а продолжал трудиться.

Азы мастерства давались Константину с трудом, однако все же результат был. Через три года он решил искать другое место и ушел. Направился в Москву, где ему посчастливилось устроиться в сапожную мастерскую Вейса. У этого Вейса был даже собственный магазин модной обуви. Здесь тоже хватало работы.

Поскольку не было ничего известно о родителях Константина, у него не было даже отчества, хотя в метрической книге он был записан как Константин Артемьевич. О его происхождении можно было только догадываться, однако многие отмечали необычно тонкие черты лица Константина и подозревали, что в нем есть капля голубой крови. Ну что тут сказать?.. Деревенские всегда хотели найти во внешности человека признаки аристократической породы, но иной раз и граф выглядит как последний свинопас, а крестьян – наряди его в офицерский мундир – будет походить на офицера.

Некоторые считали, что предки Константина были греками и чуть ли не состояли в родстве с Александром Македонским; другие подозревали наличие в нем крови великих татар, которые в свое время шествовали по земле русской.

В общем, было множество догадок о родителях Константина, и ни одна из них не была подтверждена.

19 апреля 1870 год Константин Жуков женился на женщине крестьянского происхождения, которую звали Ан-

на Иванова, причем Иванова здесь – отчество, а не фамилия, так как фамилии у восемнадцатилетней девушки не было. В 1874 году она родила мужу сына Григория, а в самом начале 1884-го – второго сына, Василия, но он через два года умер. А 16 апреля 1892 года чахотка унесла Анну Ивановну.

Матерью Георгия была уроженка деревни Черная Грязь, Устинья. Родилась в очень бедной семье, всю жизнь перебивалась с хлеба на воду и трудилась не покладая рук. Устинья до второго замужества фамилии не имела.

В январе 1885 года она сочеталась браком с Фаддеем Стефановичем из села Турбина Спасской волости. Муж был младше жены на три года и, как и она, бесфамильный. Через год у них родился сын Иван, а через четыре года Фаддей умер от чахотки. Ему было всего двадцать три года. Чтобы прокормить ребенка, Устинья подалась в прислуги в соседние деревни. Убирала дом, помогала по хозяйству зажиточным крестьянам.

Трудилась Устинья наравне с мужчинами, однако все же оставалась женщиной, и не миновала ее любовная лихорадка. В 1890 году у нее родился внебрачный ребенок, которого назвали Георгием. Роды проходили в селе Запажье, в старом доме местной бабки, которая, хоть и была жадной и имела славу первой сплетницы, не выдала Устинью. Отец ребенка, естественно, не был записан в метрическую книгу. Возможно, именно из-за этой истории и ходили слухи о том, что Георгий Жуков был незаконнорожденным. На самом же деле великий маршал не имел к тому никакого отношения.

Как бы то ни было, Устинья осталась жить в Запажье и, видимо, получала какую-то материальную помощь от отца ребенка. Георгия она очень любила и исправно заботилась о нем. Однако через два года ее постигло несчастье: малыш умер от «сухотки» – так называли последнюю стадию сифилиса. Заболевание передалось от отца.

Известно, что другим детям Устиньи, которые родились позже, страшная зараза не передалась, поэтому сама женщина, скорее всего, тоже счастливо избежала горькой судьбы или же просто быстро вылечилась.

Деревня маленькая, все соседи были прекрасно осведомлены о случившемся, потому теперь Устинье сложно было найти нового воздыхателя, да и искать-то надо было в других местах. Не до выбора ей стало.

Жених оказался не первой молодости, да и работал далеко от дома – в Москве. Думать Устинья особенно не стала – вдова с таким прошлым вряд сделает более выгодную партию. Константин, правда, был скор на расправу, да и выпить был не дурак, но и с этим Устинья могла мириться. Жители деревни только гадали – как этот странный мужик повелся на такой незавидный приз? Может, просто не знал ничего о прошлом невесты?

Устинья и Константин поженились, ей было тридцать пять, ему – пятьдесят. Оба были одиноки и хотели создать семью.

Жизнь семьи Жуковых была тяжелой. Нищета преследовала их, не давала расслабиться. Приходилось много работать, хорошо хоть терпением Бог не обделил ни отца Георгия, ни мать.

Устинья была очень сильной женщиной: и физический, и духовно. Со временем она полюбила мужа, всегда безропотно помогала ему и не пеняла на судьбу.

О силе Устиньи даже легенды ходили. Она легко поднимала с земли пятипудовые мешки с зерном и переносила их на значительное расстояние. Говорили, что она унаследовала физическую силу от своего отца – Артема, который подлезал под лошадь и поднимал ее или брал за хвост и одним рывком сажал на круп.

Тяжелая нужда, ничтожный заработок Константина на сапожной работе заставляли бедную женщину подрабатывать на перевозке грузов. Весной, летом и ранней осенью она трудилась на полевых работах, а поздней осенью отправлялась в уездный город Малоярославец за бакалейными товарами и возила их торговцам в Угодский Завод. За поездку она зарабатывала рубль – рубль двадцать копеек. Да разве это деньги?.. Их не хватало ни что. Если вычесть расходы на корм лошадям, ночлег в городе, питание, ремонт обуви, то оставалось очень мало. Казалось, даже нищие могли насобирать больше.

Однако делать было нечего, такова была тогда доля бедняцкая, и Устинья не пеняла на судьбу, а безропотно сносила все невзгоды. Да и что тут говорить? Многие женщины русских деревень поступали так же, чтобы не умереть с голоду. В нечеловеческий холод, в слякоть и грязь, уставшие и замученные, униженные своим положением, возили они грузы из Малоярославца, Серпухова, Саврагино и других мест. Малолетние дети оставались под присмотром старых бабушек и дедушек, которые и сами уже еле ноги передвигали.

Многие крестьяне жили за чертой бедности: земли было мало, урожай был скудный, а иногда случались и вовсе неурожайные годы. На полях работали в основном женщины и дети, а мужчины уезжали зарабатывать деньги в другие города, чаще всего в Москву и Петербург. Это не всегда спасало, так как заработок был мал — едва хватало на пропитание. Редко кто из простых крестьян мог позволить себе наесться вдоволь.

Конечно, были в деревнях и богатые крестьяне – кулаки. Тем жилось получше: у них и земли было побольше, и дома их были уютны и просторны. Дети – ухожены и сыты, учились в школах, то есть получали образование и имели право на нечто большее в этой жизни, нежели бедняки. Амбары кулаков были полны муки, зерна, мяса, рыбы; полки в погребах ломились от банок с вареньем и соленьями, бутылок с наливкой. Да и скот у них водился. Из неимущей семьи – кто не был слишком горд, – частенько ходили выпросить то банку молока, то краюху хлеба, то щепотку соли. Надо признать, далеко не все зажиточные были щедрыми.

Дети бедняков с завистью и блеском в глазах смотрели на тех, кто побогаче. Ах, сколько было радости, когда возвращались отцы из больших городов и привозили баранку или пряник, иногда и игрушка перепадала. Тогда это вообще счастье! Если удавалось сэкономить деньги, семья могла рассчитывать на пирог со сладкой начинкой к празднику.

В 1894 году в семье Жуковых родилась девочка, которую назвали Марией. А через два года на свет появился Георгий. Потом был еще один сын – Алексей, однако малыш прожил недолго, всего полтора года. Мальчик был сразу слаб здоровьем, а Устинья со слезами на глазах повторяла: «А от чего же ребенок будет крепкий? С воды и хлеба, что ли?» Да и возможности побыть с малышом она не получила: через несколько месяцев после родов вновь решила ехать в город на заработки. Соседи отговаривали Устинью, со[illegible]вали поберечь маль[illegible] еще очень слаб и н[illegible] молоке. Но всей семье угрожал страшный голод, и Устинья, оставив Лешу на попечение брата и сестры, все же решилась уехать.

Мальчик умер, и его похоронили на кладбище в Угодском Заводе. Маша и Егор очень горевали о брате, отец и мать тоже.

Георгий часто потом ходил на могилку младшего брата; сидел там, в тишине и одиночестве, и думал.

Как ни странно, никогда ему не было так спокойно, как в эти мрачные минуты безмолвия.

Беда не приходит одна. В том же году, когда умер Алексей, рухнула крыша дома – ветхая совсем стала.

Делать было нечего. Семья перебралась в сарай, благо погода была еще теплая.

– Дальше посмотрим, – говорил Константин. – Может, кто пустит в баню или пристройку какую... – Однако особой уверенности в его словах не было. И он, как вся остальная семья, боялся будущего и не знал, что делать, как исправить положение.

Устинья в те времена часто заливалась слезами. Однако дух ее беды не сломили. Вздохнув, она погладила Егора и Машу по голове и сказала:

– Что ж делать. Айда! Таскайте все вещи в сарай!

В сарае было тесно, но на это никто не жаловался. Константин смастерил маленькую печку для готовки, и семья обосновалась как могла.

Как-то к Жуковым зашел приятель Константина, Назарыч:

– Что, Костюха, говорят, ты с домовым не поладил, выжил он тебя?

– Как не поладил? – удивился Константин. – Если бы не поладил, он нас наверняка придавил бы.

– И что вы теперь будете делать-то?

– Ума не при

– А чего думать, – вмешалась Устинья, – надо корову брать за рога и вести на базар. Продадим ее и сруб купим. Не успеешь оглянуться, как пройдет лето, а зимой какая же стройка...

Мужчины подумали и решили, что жена Константина верно рассудила. Да и больше никаких предложений ни у кого не было.

– Верно-то верно, но одной коровы не хватит. – Константин в сомнениях покачал головой. – Наша старушка лошадь тоже нас не спасет.

На это никто не отозвался, но всем было ясно, что самое тяжелое время еще впереди. Так и поступили. Через некоторое время Константину удалось-таки достать сруб по хорошей цене. Соседи помогли его привезти и даже покрыли крышу соломой.

– Ничего, поживем и в этом, а когда разбогатеем, построим лучше, – сказала Устинья.

С наружной стороны дом выглядел хуже других: крыльцо было сбито из старых досок, окна застеклены осколками. Но семья Жуковых радовалась: какой-никакой, а все же угол.

Детство Георгия было тяжелым. Зимы были лютыми, семья едва сводила концы с концами. Больше всего Егору всегда было жалко сестру. Мария сносила невзгоды стойко, прямо как ее мать, но внешний вид ее был ужасен. Худая, бледная, Маша трудилась за двоих, и еще находила силы поддерживать брата.

1902 год, когда мальчику исполнилось семь лет, выдался неурожайным, и зерна хватило только до середины зимы, затем пришлось влезать в новые долги, когда только-только рассчитались со старыми. Заработка Константина едва хватало на хлеб. Благо соседи были добрые – угощали то пирогом, то щами. Вот такая традиция в русских деревнях – помогать ближнему в трудную минуту. Друг Константина и еще несколько мужиков приходили и латали дом, когда совсем было невмоготу.

Так и неслись дни. Наступила весна, и жить стало легче. Дела у Жуковых пошли в гору: стали ловить рыбу в реках Огубляйке и Протве. Огублянка – небольшая речка, мелководная, сильно поросла тиной. Выше деревни Костинки, ближе к селу Болотскому, где речка брала свое начало из мелких ручейков, места были очень глубокие, там и водилась крупная рыба. В Огублянке, особенно в районе деревни, где жили Жуковы, и соседней деревни Огуби, было много плотвы, окуня и линя. Егор с отцом вылавливали его корзинами. Случались очень удачные дни, и он делился рыбой с соседями за их щи и кашу.

Походы на реку очень сблизили отца и сына. В такие дни они много говорили, мечтали, строили планы, хоть и знали, что им не суждено сбыться, смеялись и даже пели песни. Мальчик чувствовал себя счастливым, забывая про пережитые невзгоды.

Ночами, конечно, все равно было страшно и тревожно. Из головы никогда не шел образ без времени постаревшей матери с вечно красными глазами. Устинья старалась не показывать слабостей на людях, но жили-то в тесноте, и разве тут спрячешься?.. Однажды Егор, войдя в дом, увидел, как мать сидит за столом, низко склонив голову, а плечи ее сотрясаются от беззвучных рыданий. Ее сгорбленная, напряженная спина навсегда сохранилась в памяти Егора. Тогда он не подошел, не утешил мать. Трусливо съежившись, он тихо выскользнул за дверь и потом много лет корил себя за проявленное малодушие.

Иногда Егор ходил на рыбалку с ребятами – обычно в район Михалевых гор. Дорога вилась через густую липовую рощу и чудесные березовые перелески, где было немало земляники и полевой клубники, а в конце лета – много грибов. В этой роще мужики со всех ближайших деревень драли лыко для лаптей, которые в деревне звались выходными туфлями в клетку.

Но настала пора, и кончилось детство, хоть и слишком рано. Однажды Константин сказал сыну:

– Ну, Егор, ты уже большой – пора и тебе браться за дело. Я в твои годы работал не меньше взрослого. Возьми грабли, завтра поедем на сенокос, будешь с Машей растрясать сено, сушить его и сгребать в копны.

Егор ничего не ответил, только кивнул, а наутро сделал все, как велел отец.

Вообще раньше мальчика брали на сенокос взрослые, и ему там нравилось. Но теперь неожиданно пришло осознание, что развлечения кончились. Теперь Егор туда ехал, чтобы трудиться наравне со всеми. Его охватила гордость при мысли, что он тоже будет участвовать в настоящей жизни деревни и семьи, будет отвечать за свой участок работы. Наконец он станет полезным. На других подводах видел своих товарищей-одногодков, также с граблями в руках.

Работал Егор очень старательно, но, кажется, перестарался: на ладонях быстро появились мозоли. Мальчику было стыдно в этом признаться, и он терпел, пока мог. Наконец мозоли прорвались, и работать Егор больше не мог.

– Ничего, пройдет! – воскликнул отец и стал лоскутом перевязывать сыну ладони.

После этого случая Егор несколько дней не мог взять в руки грабли и просто помогал сестре сгружать сено. Остальные ребята над ним смеялись, однако прошло несколько дней, и мальчик снова стал трудиться наравне со всеми.

Когда подошла пора уборки хлебов, мать сказала:

– Пора, сынок, учиться жать. Я тебе купила в городе новенький серп. Завтра утром пойдем жать рожь.

Поначалу все складывалось неплохо, но вскоре бедного Егора вновь постигло разочарование: он слишком торопился, переживал и случайно резанул себя серпом по мизинцу на левой руке. Устинья очень испугалась, да и сам Егор – тоже. Хорошо, что соседка, тетка Прасковья, которая оказалась рядом, приложила к пальцу лист подорожника и крепко перевязала его тряпицей.

Этот рубец на мизинце останется у Георгия на всю жизнь – будет напоминать о годах, прожитых в деревне, о детстве и о матери.

* * *

Лето пролетело быстро – в трудах и заботах. За этот период Егор очень окреп и приобрел солидный опыт полевых работ.

Осенью для всех ребят наступила очень ответственная пора – они готовились идти в школу. Готовился и Егор. Даже позаимствовал у сестры букварь и выучил буквы, которые были крупно напечатаны на обветшалых страницах.

Из деревни, в которой жили Жуковы, в этом году в школы должны были пойти еще пять мальчишек, среди которых был закадычный друг Егора, Лешка Колотырный. «Колотырный» – это было его прозвище, а настоящая фамилия – Жуков, как ни странно. Жуковых в этой деревне было хоть отбавляй. Однофамильцев различали по именам матерей. Егора и Машу звали Устиньины, других – Авдотьины, третьих – Татьянины. Так и жили.

В деревне Величково находилась маленькая церковно-приходская школа, в которой должны были учиться ребята. Там же учились дети из еще четырех окрестных деревень.

Егор с нетерпением ждал начала занятий, предвкушая новую и интересную жизнь. Многим купили настоящие ранцы, а Егору и Лешке сшили холщовые сумки, куда помещались тетрадки и учебники.

Егор поначалу расстроился и заявил, что с такими сумками ходят только нищие и он не будет позориться. На это Устинья ответила:

– Ничего, переживешь. Вот заработаем с отцом денег и тогда уж купим тебе настоящий ранец, а пока обойдешься и сумкой.

Делать нечего – пошел Егор в школу с тем, что было.

Отводила брата в школу Маша, она уже училась во втором классе.

В классе, куда попал Егор, было пятнадцать мальчиков и тринадцать девочек. Девочки все как на подбор симпатичные.

В первый день учебы они познакомились с учителем, Сергеем Николаевичем Ремизовым, который рассадил всех по партам: девочки оказались с левой стороны, мальчик – с правой.

Здесь Егора ждало еще одно разочарование. Он очень хотел сесть за одну парту с Лешкой, но учитель не разрешил. Сказал, что Лешка слишком мал ростом, и посадил его за первую парту; к тому же Лешка не знал ни одной буквы.

В результате Егор оказался за последней партой.

На перемене Лешка подошел к другу и утешил его:

– Не боись. Я умный. Я быстро все буквы выучу, читать стану, и уж тогда нас посадят за одну парту.

Но этого так и не случилось. Леша постоянно был в числе отстающих. Часто его за незнание уроков оставляли в классе после занятий, но он был на редкость безропотным парнем и не обижался на учителей. Никогда нельзя было от него услышать бранного словечка или жалобы. Лешка безропотно сносил наказание, как будто понимая, что достается ему за дело.

Сергей Николаевич был хорошим человеком, добрым и справедливым, великолепным учителем, он никогда не повышал голоса на ребят, никого не бил, а ученики платили ему уважением и послушанием.

В этой же школе работал и отец Ремизова, тихий и добрый старичок. Он был священником и преподавал в школе Закон Божий. Странно, но сам Сергей Николаевич в Бога не верил и в церковь ходил ради приличия, чтобы дурную молву не привлекать. А еще у

Сергея Николаевича был брат, Николай Николаевич, врач. Так он тоже оказался безбожником. Вот оно как случается...

Вскоре выяснилось, что у Егора и Леша хорошие голоса, и их определили в школьный хор.

Так и учились — потихоньку-помаленьку. Прошел год. Большинство ребят перешли во второй класс с хорошими отметками, и только Лешка остался в первом, так как, несмотря на усилия учителя и одноклассников, у него была двойка по Закону Божьему.

Сестра Егора тоже училась плохо и осталась во втором классе на второй год. Отец с матерью решили, что ей надо бросать школу и браться за домашнее хозяйство. Маша горько плакала и доказывала, что не виновата и осталась на второй год только потому, что пропустила много уроков, ухаживая за Алешей, когда мать уезжала из дома. Брат заступался за сестру и говорил, что другие родители тоже работают, ездят в извоз, но своих детей никто из школы не забирает и все подруги сестры, например, будут продолжать учебу. В конце концов Устинья согласилась. Маша обрадовалась, и Егор тоже был счастлив.

Брату и сестре было жалко родителей; они понимали, как тяжело приходится Устинье и Константину. Вновь наступали тяжелые времена. Отец присылал из Москвы все меньше денег, мать переживала. Соседи жаловались, что не только отец Егора и Маши стал плохо зарабатывать. Всем платили мало, и многие семьи были вынуждены голодать.

Как-то отец приехал в деревню. Егора тогда еще поразил его вымученный вид. Лицо Константина было бледным, осунувшимся и каким-то сморщенным. Спина сгорбилась, в глазах не было искорки. «Он просто устал, – решил тогда мальчик. – Все же дорога дальняя». Константин именно устал – от жизни, от забот, от рабского труда.

Егор и Маша были рады видеть отца. Они бросились к нему, обняли и стали ждать гостинцев. Однако отец сказал, что ничего на сей раз привезти не смог. Он приехал прямо из больницы, где пролежал после операции аппендицита двадцать дней, и даже на билет взял взаймы у товарищей.

Отца Егора уважали в деревне, считались с его мнением. Обычно на сходках, собраниях последнее слово принадлежало ему. Егор и Маша очень любили отца, и он часто их баловал. Но бывали случаи, когда и строго наказывал Егора, даже бивал ремнем, требуя, чтобы мальчик просил прощения. Однако Егор был на редкость упрямым ребенком – он всегда терпел.

Однажды Константин задал сыну такую порку, что тот убежал из дому и трое суток жил у соседа в конопле. Кроме Маши, никто не знал, где Егор. Они договорились, чтобы не выдавала брата и носила ему еду. Егора искали повсюду, но он хорошо спрятался. В конце концов соседка случайно обнаружила мальчика и привела его домой. Отец побил Егора, но затем простил.

Когда Константин был в хорошем настроении, он брал Егора в трактир и поил его чаем. Трактир находился в соседней деревне. Его владелец, деревенский богатей Никифор Кулагин, торговал разными бакалейными товарами. Мужчины и молодежь любили собираться в трактире, где можно было поговорить о новостях, сыграть в лото, карты и выпить по какому-либо поводу, а то и без всякого повода.

Егор очень любил пить чай в трактире. Ему нравилось находиться среди взрослых, слушать умные разговоры, интересные истории о Москве и Петербурге.

Там же, в трактире, работал половым брат крестной матери Прохор. У него было что-то неладно с ногой, и все звали его хромым Прошкой. Несмотря на свою хромоту, Прохор был страстным охотником. Летом он стрелял уток, а зимой ходил на зайца, благо их тогда было много в окрестностях.

Иногда Прохор брал с собой и Егора. Охота приносила мальчику огромное удовольствие. Особенно он радовался, когда убивал зайца. За уткой тоже ходили – на Огублянку или на озеро. Обычно Прохор стрелял без промаха, а уж Егор доставал дичь из воды.

Жуков всю жизнь страстно любил охоту, может, благодаря этим вылазкам с Прохором.

Скоро отец вновь отправился в Москву. Перед отъездом он рассказал матери, что в Москве и Питере участились забастовки рабочих, доведенных безработицей и жестокой эксплуатацией до отчаяния.

– Ты не лезь не в свое дело, а то и тебя жандармы сошлют туда, куда Макар телят не гонял, – сказала Устинья.

– Наше дело рабочее, куда все, туда и мы, – ответил Константин.

После отъезда отца они долго ничего не слышали о нем и сильно беспокоились.

Скоро семья Жуковых узнала, что в Питере 9 января 1905 года царские войска и полиция расстреляли мирную демонстрацию рабочих, которая шла к царю с петицией просить лучших условий жизни.

Весной того же 1905 года в деревнях все чаще и чаще стали появляться неизвестные люди – агитаторы, призывавшие народ на борьбу с помещиками и царским самодержавием.

В деревне, где жили Жуковы, дело не дошло до активного выступления крестьян, но брожение среди них было большое. Крестьяне знали о политических стачках, баррикадных боях и декабрьском вооруженном восстании в Москве. Знали, что восстание рабочих Москвы и других городов России было жестоко подавлено царским правительством и многие революционеры, вставшие во главе рабочего класса, зверски уничтожены, заточены в крепости или сосланы на каторгу. Слышали и о Ленине – выразителе интересов рабочих и крестьян, вожде партии большевиков, партии, которая хочет добиться освобождения трудового народа от царя, помещиков и капиталистов.

Все эти сведения привозили в деревню односельчане, работавшие в Москве, Питере и других городах России.

В 1906 году возвратился в деревню Константин. Он сказал, что в Москву больше не поедет, так как полиция запретила ему оставаться в городе, разрешив проживание только в родной деревне. Егор был доволен тем, что отец вернулся насовсем.

В том же году мальчик окончил трехклассную церковно-приходскую школу. Учился во всех классах на «отлично» и получил похвальный лист. В семье все были очень довольны его успехами, да и он сам был счастлив. По случаю успешного окончания школы Устинья подарила ему новую рубаху, а отец сам сшил сапоги.

– Ну вот, теперь ты грамотный, – сказал Константин, – можно будет везти тебя в Москву учиться ремеслу.

– Пусть поживет в деревне еще годик, а потом отвезем в город, – заметила Устинья. – Пускай подрастет немножко...

С осени 1907 года Егору пошел двенадцатый год. Он понимал, что это последняя осень в родном доме. Пройдет зима, а потом надо идти в «люди». Егор был очень загружен работой по хозяйству. Мать часто ездила в город за грузом, а отец с раннего утра до поздней ночи сапожничал. Заработок его был исключительно мал, так как односельчане из-за нужды редко могли с ним расплатиться. Мать часто ругала отца за то, что он так мало брал за работу.

Когда же Константину удавалось неплохо заработать на шитье сапог, он обычно возвращался из Угодского Завода подвыпившим. Егор и Маша встречали его на дороге, и он всегда вручал детям гостинцы – баранки или конфеты.

Зимой в свободное от домашних дел время Егор чаще всего ходил на рыбалку, катался на самодельных коньках на Огублянке или на лыжах с Михалевых гор.

Наступило лето 1908 года. Сердце мальчика щемило при мысли, что скоро придется оставить дом, родных, друзей и уехать в Москву. Он понимал, что, по существу, детство кончается. Правда, прошедшие годы можно было лишь условно назвать детскими, но на лучшее он не мог рассчитывать.

Однажды собрались на местной завалинке соседи и стали говорить о том, что пора бы сыновей в Москву отправлять: взрослые они уже, пусть на жизнь зарабатывают, пользу приносят.

Однако тут мнения жителей деревни разделились. Одни собирались везти своих детей в ближайшие дни, другие хотели подождать еще год-два. Устинья сказала, что отвезет Егора после ярмарки, которая бывала в деревне через неделю после Троицына дня.

Лешку Колотырного уже отдали в ученье в столярную мастерскую, хозяином которой был богач из нашей деревни Мурашкин.

Константин спросил сына про ремесло, которое тот думает изучать, и он ответил, что хочет в типографию. Отец сказал, что у него нет знакомых, которые могли бы помочь определить Егора в типографию. И Устинья решила просить своего брата Михаила взять мальчика в скорняжную мастерскую. Константин согласился, поскольку скорняки хорошо зарабатывали. Егор же был готов на любую работу, лишь бы быть полезным семье.

В июле 1908 года в соседнюю деревню Черная Грязь приехал Михаил Артемьевич Пилихин.

Михаил Пилихин, брат Устиньи, рос в бедности. В одиннадцать лет его отдали в скорняжную мастерскую на ученье, и через четыре года он стал мастером. Михаил был очень бережлив, почти жаден, и сумел за несколько лет скопить деньги и открыть свое небольшое дело. Он стал прекрасным мастером-меховщиком, поэтому у него всегда было много заказчиков, которых он обдирал немилосердно.

Однако в лености Пилихина обвинить было нельзя: он трудился добросовестно, не жалея себя. Михаил постепенно расширял мастерскую, довел число рабочих-скорняков до восьми человек и, кроме того, постоянно держал еще четырех мальчиков, которых старательно обучал. Как тех, так и других эксплуатировал беспощадно. Поэтому и сколотил состояние.

Вот этого человека Устинья и попросила об услуге. Она хотела, чтобы Михаил взял Егора в ученики и посвятил мальчика в тонкости своего дела. Брат согласился и тихим, проникновенным голосом приказал привести Егора к нему, а он там уж решит, брать или брать.

Позже Константин спросил у жены:

– А какие условия он предложил?

– Известно какие! – ответила Устинья. – Четыре с половиной года мальчиком, а потом будет мастером.

– Ну что ж, делать нечего, пусть едет...

Через два дня Егор с отцом пошли в деревню Черная Грязь. Подходя к дому Пилихиных, Константин сказал:

– Смотри, вон сидит на крыльце твой будущий хозяин. Когда подойдешь, поклонись и скажи: «Здравствуйте, Михаил Артемьевич».

– Нет, я скажу: «Здравствуйте, дядя Миша!» – возразил мальчик.

– Ты забудь, что он тебе доводится дядей. Он твой будущий хозяин, а богатые хозяева не любят бедных родственников. Это ты заруби себе на носу.

Подойдя к крыльцу, на котором, развалившись в плетеном кресле, сидел дядя Миша, Константин поздоровался и подтолкнул сына вперед. Не ответив на приветствие, не подав руки отцу, Пилихин повернулся к мальчику. Он поклонился и сказал:

– Здравствуйте, Михаил Артемьевич!

– Ну, здравствуй, молодец! Что, скорняком хочешь быть?

Егор промолчал.

– Ну что ж, дело скорняжное хорошее, но трудное, – протянул Михаил.

– Он трудностей не должен бояться, к труду привычен с малых лет, – произнес Константин.

– Грамоте обучен?

Константин показал похвальный лист Егора.

– Молодец! – похвалил дядя, а затем, повернув голову к двери, крикнул: – Эй, вы, оболтусы, идите сюда!

Из комнаты вышли сыновья Михаила, Александр и Николай, хорошо одетые и упитанные ребята, а затем и сама хозяйка.

– Вот, смотрите, башибузуки, как надо учиться, – громко произнес Михаил, показывая им похвальный лист, – а вы все на тройках катаетесь. – Обратившись наконец к отцу он сказал: – Ну что ж, пожалуй, я возьму к себе в ученье твоего сына. Парень он крепкий и, кажется, неглупый. Я здесь проживу несколько дней. Потом поеду в Москву, но с собой его взять не смогу. Через неделю едет брат жены Сергей, вот он и привезет его ко мне.

На том и расстались.

Егор обрадовался чрезвычайно тому, что сможет прожить в родном доме еще целую неделю.

– Ну, как вас встретил мой братец? – спросила Устинья.

– Известно, как нашего брата встречают хозяева, – со вздохом ответил Константин.

– А чайком не угостил?

– Даже не предложил нам сесть с дороги, – угрюмо произнес Константин. –

Он сидел, а мы стояли, как солдаты. – И зло добавил: – Нужен нам его чай, мы с сынком сейчас пойдем в трактир и выпьем за свой трудовой пятачок.

Устинья горестно вздохнула, сунула сыну баранку, и Егор с отцом зашагали к трактиру...

Егор очень волновался перед поездкой в Москву. Страхи его одолевали всяческие. Боялся, что не справится, что опозорит не только себя, но и всю семью.

Отец, видя мучения сына, сказал:

– Ты, друг, это брось! Назад дороги все равно нет. Езжай и ни о плохом не думай. Все уж решено. Учись только и дядю слушай.

Вот и весь наказ.

Сборы в Москву были недолгими. Устинья завернула сыну с собой свежее белье, пару портянок и полотенце, дала на дорогу немного яиц да лепешек.

Помолившись, присели по старинному русскому обычаю на лавку.

Провожать Егора должен был дядя Сергей.

– Ну, сынок, с Богом! – сказала Устинья и, не выдержав, горько заплакала, прижав сына к себе.

Глаза Константина тоже покраснели, будто он собирался расплакаться, но сдержался. Молча обнял Егора, похлопал по плечу и отвернулся.

До Черной Грязи Егор с матерью шли пешком. Раньше Егор здесь собирал ягода да грибы, а теперь вот неизвестно, вернется ли когда-нибудь сюда. Родные места вдруг стали ему неимоверно дороги. Захотелось еще раз обнять отца, взглянуть над дом, поболтать с Лешкой. Что теперь будет?

– Помнишь, как вот на этой полоске, около трех дубов, когда мы с тобой жали, я разрезал себе мизинец? – вдруг спросил Егор.

– Помню, сынок. Матери всегда помнят о том, что было с их детьми. Плохо поступают дети, когда они забывают своих матерей.

– Со мной, мать, этого не случится! – твердо произнес мальчик.

Внезапно начался дождь. Сначала он лишь накрапывал, затем ударил в полную силу. Егор и мать побежали к поезду.

Поезд медленно набирал ход. В вагоне было темно, лишь одна сальная свечка выхватывала из мрака угол. Деревья за окном и дома приобретали все более размытые очертания, по мере того как поезд разгонялся. Вагон был узким, пахло сыростью, и было прохладно.

Егор раньше никогда не ездил на поезде, даже железной дороги не видел. Огромный снаружи механизм, а внутри такой тесный и убогий, казалось, не принадлежал этому миру. Словно огромное фантастическое чудовище, поезд несся вперед, увозя мальчика в неведомые дали, от его родных, от его деревни...

Когда миновали станцию Балабоново, показались многоэтажные дома, подобных которым Егор тоже никогда не видел. Мальчик во все глаза смотрел на эти махины.

– Дядя, что это за город? – спросил Егор у пожилого мужчины, стоявшего у окна вагона.

– Это не город, паренек. Это нарофоминская ткацкая фабрика Саввы Морозова. На этой фабрике я проработал пятнадцать лет, – грустно сказал он, – а вот теперь не работаю.

– Почему? – спросил Егор.

– Долго рассказывать... здесь я похоронил жену и дочь.

– А кто такой Савва Морозов? – не мог скрыть любопытства Егор.

– Да вот такой предприниматель...

Мальчик видел, как побледнел пожилой человек и на минуту закрыл глаза:

– Каждый раз, проезжая мимо проклятой фабрики, не могу спокойно смотреть на это чудовище, поглотившее моих близких...

Мужчина вдруг отошел от окна, сел в темный угол вагона и закурил, а Егор продолжал смотреть в сторону «чудовища», которое «глотает» людей, но не решался спросить, как это происходит. Тем не менее Егор решил во что бы то ни стало узнать, кто этот таинственный человек, Савва Морозов.

В Москву поезд прибыл на рассвете. Вокзал поразил Егора, но еще больше поразила толпа народу. Все куда-то спешили, суетились, кричали, смеялись, возмущались. Толчея и давка, шум и гам. Все пихались и толкались, казалось, цель жизни этих людей в том, чтобы куда-то успеть. Егор ошалело оглядывался, не понимая, зачем все так несутся.

– Ты рот не разевай, – бросил пожилой мужчина, с которым разговаривал

Егор. – Здесь тебе не деревня, здесь ухо востро нужно держать.

Наконец Егор с дядей Сергеем выбрались на привокзальную площадь. Здесь же располагался и трактир, возле которого, несмотря на ранний час, шла бойкая торговля сбитнем, лепешками, пирожками с ливером, требухой и прочими яствами, которыми приезжие могли подкрепиться за недорогую цену. Идти к хозяину было еще рано, и Егор с дядей решили отправиться в трактир. Вокруг было сыро и грязно, на дороге валялись пьяные оборванцы. В трактире громко играла музыка, Егор узнал мелодию знакомой песни «Шумел, горел пожар московский». Некоторые посетители, успев подвыпить, нестройно подтягивали.

После трактира Егор с дядей отправились на Большую Дорогомиловскую улицу и стали ждать конку. При посадке, в спешке и суете, поднимавшийся впереди по лесенке какой-то мужчина нечаянно сильно задел мальчика каблуком по носу. Из носа пошла кровь.

– Говорил тебе, смотри в оба! – сердито прикрикнул дядя Сергей.

А дядька сунул Егору кусок тряпки и спросил:

– Из деревни, что ли? В Москве надо смотреть выше носа, – добавил он.

Вокзальная площадь и окрестные улицы не произвели на Егора особого впечатления. Домишки тут были маленькие, деревянные, облезлые. Дорогомиловская улица грязная, мостовая с большими выбоинами, много пьяных, большинство людей плохо одеты.

Но по мере приближения к центру вид города все больше менялся: появлялись большие дома, нарядные магазины, лихие рысаки. Егор словно оказался в другом мире. Это уже не деревня, это место из сказки; оттуда же появился и поезд, который привез мальчика сюда, и мужчина, упомянувший про Савву Морозова, но так и не рассказавший всей истории. Егор был как в тумане, плохо соображал и был как-то подавлен. Он никогда не видел домов выше двух этажей, мощеных улиц, извозчиков в колясках с надутыми шинами, или, как их звали, лихачей, мчавшихся с большой скоростью на красавцах орловских рысаках. Не видел он никогда и такого скопления людей на улицах. Все это поражало воображение, и мальчик молчал, рассеянно слушая своего провожáтого.

Повернули к Большой Дмитровке и сошли с конки на углу Камергерского переулка.

– Вот дом, где ты будешь жить, – сказал дядя Сергей, – а во дворе помещается мастерская, там будешь работать. Парадный вход в квартиру с Камергерского переулка, но мастера и мальчики ходят только с черного хода, со двора.

Запоминай хорошенько, – продолжал он, – вот Кузнецкий мост, здесь находятся самые лучшие магазины Москвы. Вот это театр Зимина, но там рабочие не бывают. Прямо и направо Охотный ряд, где торгуют зеленью, дичью, мясом и рыбой. Туда ты будешь бегать за покупками для хозяйки.

Пройдя большой двор, Егор и дядя Сергей подошли к работавшим здесь людям, поздоровались с мастерами, которых дядя Сергей уважительно называл по имени и отчеству.

– Вот, – указал он на мальчика, – привез из деревни вам в ученье новенького.

– Мал больно, – заметил кто-то, – не мешало бы ему немного подрасти.

– Сколько тебе лет, парень? – спросил высокий человек.

– Двенадцать.

– Ладно, пусть мал ростом, зато у него плечи широкие, – заметил, улыбаясь, высокий.

— Ничего, будет хорошим скорняком, — ласково добавил мастер-старичок.

Это был Федор Иванович Колесов, самый справедливый, как потом убедился Егор, опытный и авторитетный из всех мастеров.

Отведя мальчика в сторону, дядя Сергей стал называть по имени каждого мастера и рассказывать про них.

Лучше всего Егор запомнил про братьев Мишиных.

— Старший брат — хороший мастер, но здорово пьет, — говорил дядя Сергей, — а вот этот, младший, очень жаден до денег. Говорят, что он завтракает, обедает и ужинает всего лишь на десять копеек. Все о своем собственном деле мечтает. А это вот Михаил, он частенько пьет запоем. После получки два-три дня пьет беспробудно. Способен пропить последнюю рубашку и штаны, но мастер — золотые руки. Вот, — дядя Сергей показал на высокого мальчика, – это старший мальчик, твой непосредственный начальник, зовут его Кузьмой. Через год он будет мастером. А вон тот, курчавый, – это Григорий Матвеев из деревни Трубино, он тебе доводится дальним родственником.

Поднявшись по темной и грязной лестнице на второй этаж, Егор с дядей Сергеем вошли в мастерскую. Появилась хозяйка, поздоровалась и сказала, что хозяина сейчас нет, но скоро должен быть.

– Пойдем, покажу тебе расположение комнат, а потом будешь на кухне обедать, – произнесла женщина.

Хозяйка подробно объяснила мальчику будущие обязанности – обязанности самого младшего ученика – по уборке помещений, чистке обуви хозяев и их детей, показала, где и какие лампады у икон, когда и как их надо зажигать и так далее.

– Ну, а остальное тебе объяснят Кузьма и старшая мастерица Матреша, – добавила она.

Потом Кузьма, старший мальчик, позвал Егора на кухню обедать. Егор с дороги здорово проголодался и с аппетитом принялся за еду. Но тут случился непредвиденный казус. Егор не знал, что существует правило, по которому из общего котла едят сначала только щи, а потом, когда старшая мастерица постучит по блюду, можно и мясца попробовать. Егор, не дожидаясь приглашения, так как был очень голоден, схватил несколько кусков мяса, проглотил их, а затем неожиданно для себя получил ложкой по лбу. Место, куда пришелся удар, начало саднить, и там вскоре образовалась большая шишка.

Егор сконфуженно замер с открытым ртом, не успев доживать последний кусок.

– Ничего, терпи, коли будут бить, – сказал Кузьма после обеда, – за одного битого двух небитых дают.

В тот же день старший мальчик повел Егора в ближайшие лавки, куда предстояло ходить за табаком и водкой для мастеров. Кухарка (она же старшая мастерица) Матреша показала, как чистить и мыть посуду и разводить самовар.

В эту ночь Егор спал как убитый, а на следующее утро его отвели в мастерскую, посадили в углу и стали учить шить мех. Мальчику дали иглу, нитки и даже наперсток.

Показав, как нужно шить, старшая мастерица сказала:

– Если что-либо не будет получаться, подойди ко мне, я тебе покажу, как надо шить.

Егор кивнул и принялся за работу.

Трудился он с семи утра до семи вечера с перерывом на обед. За это время он успел понять, что работа очень тяжелая, а мастера иногда и задерживаются, если не успевают справиться с объемами, но за это они получали дополнительные деньги, так что все было честно.

Мальчики-ученики всегда вставали в шесть утра. Быстро умывшись, они готовили рабочие места и все, что нужно было мастерам. Ложились спать в одиннадцать вечера, все убрав и подготовив к завтрашнему дню. Спали тут же, в мастерской, на полу, а когда было очень холодно, на полатях в прихожей с черного хода.

Поначалу Егор сильно уставал. Трудно было привыкнуть поздно ложиться спать, потому что в деревне обычно ложились рано. Но прошло немного времени, и мальчик освоился.

Егор скучал по родной деревне, вспоминал дом, отца с матерью, сестру, прогулки по грибы-ягоды, игры с ребятами, даже школу вспомнил. Иногда пускал слезу. Егору казалось, что он больше никогда не увидит родных. Домой на побывку мальчиков отпускали только на четвертом году. Это было невообразимо далекое время.

По субботам Кузьма водил мальчиков в церковь ко всенощной, а в воскресенье – к заутрене и к обедне. В большие праздники хозяин брал мальчиков с собой к обедне в Кремль, в Успенский собор, а иногда в храм Христа Спасителя. Никто из них не любил бывать в церкви, и все старались удрать оттуда под каким-либо предлогом. Однако в Успенский собор ходили с удовольствием – слушать великолепный синодальный хор и специально протодьякона Розова: голос у него был как иерихонская труба.

Минул год. Егор довольно успешно освоил начальный курс скорняжного дела, хотя оно далось ему не без труда.

За малейшую оплошность хозяин бил работников немилосердно. А рука у него была тяжелая. Били мальчиков мастера, били мастерицы, не отставала от них и хозяйка. Когда хозяин был не в духе – лучше не попадайся ему на глаза. Он мог и без всякого повода отлупить так, что целый день в ушах звенело.

Иногда хозяин заставлял двух провинившихся мальчиков бить друг друга жимолостью (кустарник, прутьями которого выбивали меха), приговаривая при этом: «Лупи крепче, крепче!» Приходилось безропотно терпеть.

Мальчишки знали, что везде хозяева бьют учеников – таков закон, таков порядок. Хозяин считал, что ученики отданы в полное его распоряжение и никто никогда с него не спросит за побои, за нечеловеческое отношение к малолетним. Да никто и не интересовался, как кто работает, как питается, в каких условиях живет. Самым высшим судьей был хозяин. Так Егор и тянул тяжелое ярмо, которое и не каждому взрослому было под силу.

Время шло. Егору исполнилось тринадцать, и он уже многому научился в мастерской. Несмотря на большую загруженность, мальчик все же находил возможность читать. Он всегда с благодарностью вспоминаю своего учителя Сергея Николаевича Ремизова, который привил ему страсть к книгам. Учиться помогал старший сын хозяина, Александр. Мальчики были ровесниками, и Саша относился ко Егору лучше других.

Поначалу с его помощью Егор прочитал роман «Медицинская сестра», увлекательные истории о Нате Пинкертоне, «Записки о Шерлоке Холмсе» Конан Дойла и несколько других приключенческих книжек, изданных в серии дешевой библиотечки. Это было интересно, но не очень-то поучительно. А Егор хотел учиться серьезно. Душа его стремилась к знаниям. Но как? Егор поделился своими мечтами с Сашей, и тот решил помочь другу.

Вместе с Сашей Егор принялся изучать русский язык, математику, географию. Мальчики с легкостью поглощали знания; они перечитали уйму книг, узнали о судьбах множества интересных людей.

Правда, хозяин не поощрял подобных занятий, поэтому друзьям приходилось прятаться по углам. Однажды их секрет все же раскрыли, и Егор испугался, что их выгонят, но ничего подобного не произошло. Наоборот, хозяин, на удивление всем, похвалил мальчиков.

Так больше года Егор довольно успешно занимался и поступил на вечерние общеобразовательные курсы, которые давали образование в объеме городского училища.

В мастерской все им были довольны, доволен был и хозяин, хотя нет-нет да и давал пинка или затрещину. Вначале Михаил не хотел отпускать Егора вечерами на курсы, но потом его уговорили сыновья, и он согласился. Мальчик был счастлив. Правда, уроки приходилось готовить ночью, около уборной, где горела дежурная лампочка десятка в два свечей.

За месяц до выпускных экзаменов, как-то в воскресенье, когда хозяин ушел к приятелям, ребята сели играть в карты. Играли, как помнится, в «двадцать одно». Не заметили, как вернулся хозяин и вошел в кухню. Егор держал банк, ему везло. Вдруг кто-то дал мне здоровую оплеуху. Мальчик оглянулся, и – о, ужас – хозяин! Ошеломленный, Егор не мог произнести ни слова. Ребята бросились врассыпную.

– Ах, вот для чего тебе нужна грамота! Очки считать? С этого дня никуда больше не пойдешь, и чтоб Сашка не смел с тобой заниматься!

Через несколько дней Егор зашел на курсы, которые помещались на Тверской улице, и рассказал о случившемся. Учиться ему оставалось всего лишь месяц с небольшим. Надо ним посмеялись и разрешили сдавать экзамены. Экзамены за полный курс городского училища он выдержал успешно.

Шел 1911 год. Егор уже три года проработал в мастерской и перешел в разряд старших. Теперь и у него в подчинении было три мальчика-ученика. Он прекрасно знал Москву, так как чаще других приходилось разносить заказы в разные концы города. Желание продолжать учебу не оставляло Егора, но сделать это то не было никакой возможности. Однако читать мальчик все же ухитрялся.

Егор брал газеты у мастера Колесова, который хорошо разбирался в политике, Александр давал Егору различные журналы, а на отложенные деньги Егору удавалось покупать книги.

На четвертом году ученья Егора, как физически более крепкого мальчика, взяли в Нижний Новгород на знаменитую ярмарку, где хозяин снял себе лавку для оптовой торговли мехами. К тому времени он сильно разбогател, завязал крупные связи в торговом мире и стал еще жаднее.

На ярмарке в обязанность Егора входили главным образом упаковка проданного товара и отправка его по назначению через городскую пристань на Волге, пристань на Оке или через железнодорожную товарную контору.

Впервые Егор увидел Волгу и был поражен ее величием и красотой – до этого он не видел рек шире и полноводнее Протвы и Москвы. Это было ранним утром, и Волга вся искрилась в лучах восходящего солнца. Егор смотрел на нее и не мог оторвать восхищенного взгляда.

«Теперь понятно, – подумал он, – почему о Волге песни поют и матушкой ее величают».

На Нижегородскую ярмарку съезжались торговцы и покупатели со всей России. Туда везли свои товары и «заморские купцы» из других государств. Сама ярмарка располагалась за городом между Нижним и Канавином, в низкой долине, которая во время весеннего паводка сплошь заливалась водой.

После Нижегородской ярмарки в том же году пришлось поехать на другую ярмарку, в Урюпино, в Область Войска Донского. Туда хозяин не поехал, а послал приказчика Василия Данилова. О ярмарке в Урюпине у Егора не осталось таких ярких воспоминаний, как о Нижнем Новгороде и Волге. Урюпино был довольно грязный городишко, и ярмарка там по своим масштабам была невелика.

Василий Данилов оказался человеком жестоким и злым. Егор так никогда и не мог понять, почему Василий с какой-то садистской страстью наносил побои четырнадцатилетнему мальчику из-за какой-то ерунды. Однажды Егор даже не вытерпел, схватил палку и со всего размаха ударил приказчика по голове. От удара тот упал и потерял сознание. Егор решил, что убил Василия, и испугался. Но приказчик выжил.

По возвращении в Москву хозяин жестоко избил Егора.

В 1912 году Егор получил возможность поехать в деревню на десять дней. В то время там начался покос – самый интересный вид полевых работ. На покос приезжали из города мужчины и молодежь, чтобы помочь женщинам быстрее справиться с уборкой трав и заготовкой кормов на зиму.

До деревни Егор обирался на поезде и с интересовал рассматривал окрестности, так как четыре года назад ничего не увидел – тогда за окном царила ночь.

Когда проезжали мимо станции Наро-Фоминск, какой-то человек сказал своему соседу:

– До пятого года я здесь часто бывал... Вон видишь красные кирпичные корпуса? Это и есть фабрика Саввы Морозова.

– Говорят, он демократ, – сказал второй.

– Буржуазный демократ, но, говорят, неплохо относится к рабочим. Зато его администрация – псы лютые.

– Одна шайка-лейка! – зло сказал сосед.

Заметив, что Егор с интересом слушаю (припомнив разговор в вагоне об этой же фабрике, который слышал несколько лет назад), они замолчали.

На полустанке Егора встретила мать. Устинья очень изменилась за эти четыре года и еще больше состарилась. Лицо ее покрылось сетью морщинок, но глаза сияли счастьем. Горло сына сдавило, ему вдруг захотелось разрыдаться.

– Дорогой мой! Сынок! Я думала, что умру, не увидев тебя, – причитала Устинья.

– Ну, что ты, мама, видишь, как я вырос, теперь тебе будет легче.

– Дай-то Бог!

Домой Егор с матерью приехали уже затемно. Отец и сестра ждали их на завалинке. Маша выросла и стала настоящей невестой. Красивой. Отец сильно постарел и еще больше согнулся. Ему шел семидесятый год. Он как-то по-своему встретил Егора. Поцеловались. Думая о чем-то своем, он сказал:

– Хорошо, что дожил. Вижу, ты теперь взрослый, крепкий.

Желая порадовать родителей и сестру, Егор быстро распаковал вещи и вручил каждому подарок, а матери, кроме того, три рубля денег, два фунта сахара, полфунта чая и фунт конфет.

– Вот спасибо, сынок! – обрадовалась Устинья. – Мы уже давно не пили настоящий чай с сахаром.

Отцу Егор дал еще рубль на трактирные расходы.

– Хватило бы ему и двадцати копеек, – заметила Устинья со смехом.

– Я четыре года ждал сынка, не омрачай нашей встречи разговором о нужде, – возразил Константин.

Из дома Егор уехал почти ребенком, а вернулся взрослым юношей. Ему уже шел шестнадцатый год, он проработал уже четыре года. То не так уж и мало. Многие в деревне умерли, кто-то ушел на заработки в другие места; некоторые дома совсем обветшали и почти развалились. Ребят тоже было не узнать – такими взрослыми все стали.

Прошел день, и Егор с Устиньей и Машей поехали на покос. Егор рад был увидеть товарищей, особенно Лешу Колотырного.

– Как, Егорушка, нелегок крестьянский труд? – спросил Егора дядя Назар, обняв за мокрые плечи.

– Труд нелегкий, – согласился юноша.

– А вот англичане траву косят машинами, – заметил подошедший к ним неизвестный молодой мужик.

– Да, – кивнул Назар, – мы все надеемся на соху-матушку да на косу. Эх, дубинушка, ухнем...

Егор поинтересовался у ребят, кто этот мужик, что говорил насчет машин.

– Это Николай Жуков – сын старосты. Его выслали из Москвы за пятый год. Он очень острый на язык, даже царя ругает.

– Ничего, – произнес Леша, – за глаза царя ругать можно, но только чтобы не слышали полиция или шпики.

Это было очень счастливое время для Егора. Вечерами, забыв об усталости, собиралась молодежь, и начиналось веселье. Пели песни, задушевные и проникновенные. Девушки выводили сильными голосами нежную мелодию, ребята старались вторить молодыми баритонами и еще не окрепшими басами. Потом плясали до упаду.

Именно в один из таких вечеров Егору приглянулась односельчанка, Маня Мельникова. Она была немного старше Егора. Длинные русые волосы ее были словно шелк, а голубые глаза сияли чистым, пронзительным светом. У Егора дыхание перехватило. Маня оказалась еще и хорошей певицей, ее нежный голос запал Егору в душу.

Он не раз приглашал Маню потанцевать; было приятно держать в объятиях ее сильное, стройное тело. Ее ладони были огрубевшими и мозолистыми, но в тот момент они казались Егору самыми красивыми на всем белом свете.

– Ты веришь в любовь с первого взгляда? – спросил как-то Маня у Егора.

– Конечно верю. Я же встретил тебя, – отвечал он.

Правда, потом выяснилось, что у Мани был еще один обожатель – Филя. Егор с Филей даже как-то сошлись в драке; Егор победил, однако на душе остался неприятный осадок. Маня была очарована молодым мастером и поклялась ему в любви. Однако намного позже Егор узнал, что Маня – та самая Маня, которая верила в чистую любовь, – вышла замуж за Филю через несколько месяцев после отъезда Егора. Но то было потом.

А пока Егор чувствовал себя счастливым. Расходились под утро и едва успевали заснуть, как всех будили, и ребята вновь отправлялись на покос.

Солнце припекало сильно. Косьбу прекратили, начали сушить скошенную траву. К полудню Егор с сестрой, навьючив сено на телегу, взобрались на воз и поехали домой. Там их уже ждали жареная картошка с маслом и чай с сахаром. Все это было так аппетитно!..

Да, видно, молодость все может. Как хорошо чувствовать себя молодым!

Отпуск прошел очень быстро, и нужно было возвращаться в Москву. В предпоследнюю ночь пребывания Егора дома в соседней деревне Костинке случился пожар. Дул сильный ветер. Пожар начался посредине деревни и стал быстро распространяться на соседние дома, сараи и амбары. Молодежь еще гуляла, когда заметили со стороны Костинки густой дым.

Кто-то крикнул:

– Пожар!

Все бросились в пожарный сарай, быстро выкатили бочку и потащили ее на руках в Костинку. Егор с ребятами подоспели первыми, а уж немного погодя прибежали жители Костинки.

Пожар был очень сильный, и, несмотря на отчаянные усилия пожарных команд, которые собрались из соседних сел, выгорело полдеревни. Пробегая с ведром воды мимо одного дома, Егор услышал крик:

– Спасите, горим!

Бросился в тот дом, откуда раздавались крики, и вытащил испуганных до смерти детей и больную старуху.

Наконец огонь потушили. На пепелище причитали женщины, плакали дети. Много людей осталось без крова и без всякого имущества, а некоторые и без куска хлеба.

Наутро Егор обнаружил две прожженные дырки, каждую величиной с пятак, на своем новом пиджаке – подарке хозяина перед отпуском. Такой обычай был в городе – хозяин дарил что-нибудь своему работнику.

– Ну, хозяин тебя не похвалит, – протянула мать.

– Что ж, – ответил Егор, – пусть он рассудит, что важнее: пиджак или ребята, которых удалось спасти...

Все кончилось. Теплые вечера на деревне, громкие песни, пляски, покос. Егору настала пора возвращаться в город. Ах, чего бы он не отдал в этот момент, чтобы остаться дома еще хоть на денек! Хоть на лишний час. Однако время не терпит.

Уезжал Егор с тяжелым сердцем. Особенно тягостно было смотреть на пожарище, где копались несчастные люди. Бедняги искали, не уцелело ли чего. Егор сочувствовал их горю, так как сам знал, что значит остаться без крова. Вспомнились ему годы нищенства, когда вся семья спала в маленьком сарае. Как упрямо они прижимались друг к другу, ютились, боясь холодов.

По дороге Егор вновь засмотрелся на фабрику. В Москву приехал рано утром. Поздоровавшись с хозяином, рассказал о пожаре в деревне и показал прожженный пиджак. К его удивлению, хозяин даже не ругался. Егор ощутил внезапный прилив благодарности.

Потом выяснилось, что ему просто очень повезло. Накануне хозяин очень выгодно продал партию мехов и на этом крепко заработал.

– Если бы не это, – сказали тогда Егору, – быть тебе выдранному как сидоровой козе.

В конце 1912 года ученичество кончилось. Егор стал подмастерьем. Тогда хозяин поинтересовался его планами: что Егор дальше думает желать, останется ли в мастерской или пойдет на квартиру?

– Если останешься при мастерской и будешь по-прежнему есть на кухне с мальчиками, то зарплата тебе будет десять рублей; если пойдешь на частную квартиру, тогда будешь получать восемнадцать рублей.

Жизненного опыта у Егора было маловато, и, подумав, он сказал, что останется жить при мастерской. Видимо, хозяина это вполне устраивало, так как по окончании работы мастеров всегда находилась какая-либо срочная, не оплачиваемая работа. Прошло немного времени, и Егор решил: «Нет, так не пойдет. Уйду на частную квартиру, а вечерами лучше читать буду».

На Рождество Егор вновь съездил в деревню. Он был уже самостоятельным человеком, зарабатывал деньги, работал в хорошем месте, а это было очень ценно, так как годы бедствий на всю жизнь оставили шрамы в его душе.

Именно в тот приезд Егор узнал о судьбе Мани и очень расстроился.

Зато Егор мог с гордостью рассказать о своей работе. Хозяин доверял ему, видимо, убедившись в его честности. Он часто посылал Егора в банк получать по чекам или вносить деньги на его текущий счет. Ценил он молодого человека и как безотказного работника и часто брал в свой магазин, где, кроме скорняжной работы, ему поручались упаковка грузов и отправка их по товарным конторам.

Егору нравилась такая работа даже больше, чем в мастерской, где, кроме ругани между мастерами, не было слышно других разговоров. В магазине – дело другое. Там приходилось вращаться среди более или менее интеллигентных людей, слышать их разговоры о текущих событиях.

Мастера мало читали газеты, и, кроме Колесова, никто в мастерской не разбирался в политических делах. Скорняки вообще отличались тогда своей аполитичностью. Исключение составляли одиночки. Мастер-скорняк жил своими интересами, у каждого был свой мирок. Некоторые всякими правдами и неправдами сколачивали небольшой капиталец и стремились открыть собственное дело. Скорняки, портные и другие рабочие мелких кустарных мастерских заметно отличались от заводских, фабричных рабочих, от настоящих пролетариев своей мелкобуржуазной идеологией и отсутствием крепкой пролетарской солидарности.

Заводские рабочие не могли и мечтать о своем деле. Для этого нужны были большие капиталы. А они получали гроши, которых едва-едва хватало на пропитание. Условия труда, постоянная угроза безработицы объединяли рабочих на борьбу с эксплуататорами.

Политическая работа большевистской партии сосредоточивалась тогда в среде промышленного пролетариата. Среди рабочих кустарных мастерских подвизались меньшевики, эсеры и прочие псевдореволюционеры. Не случайно в 1905 году и во время Великой Октябрьской революции в рядах восставшего пролетариата было мало кустарей.

В 1910–1914 годах заметно оживились революционные настроения. Все чаше и чаще стали вспыхивать стачки в Москве, Питере и других промышленных городах. Участились сходки и забастовки студентов. В деревне нужда дошла до предела в результате разразившегося в 1911 году голода.

Как ни плоха была политическая осведомленность мастеров-скорняков, все же многие знали о расстреле рабочих на Ленских приисках и повсеместном нарастании революционного брожения. Федору Ивановичу Колесову изредка удавалось доставать большевистские газеты «Звезда» и «Правда», которые просто и доходчиво объясняли, почему непримиримы противоречия между рабочими и капиталистами, между крестьянами и помещиками, доказывали общность интересов рабочих и деревенской бедноты.

В то время Егор слабо разбирался в политических вопросах, но ему было ясно, что эти газеты отражают интересы рабочих и крестьян, а газеты «Русское слово» и «Московские ведомости» – интересы хозяев царской России, капиталистов. Когда Егор приезжал в деревню, уже сам мог кое-что рассказать и объяснить своим товарищам и мужикам.

Часть 2

Вскоре жизнь Георгия изменилась. Этому способствовали не только личные достижения в работе, но и исторические события. Впрочем, жизнь многих молодых людей в тот момент истории стала другой.

В июле 1914 года началась Первая мировая война – одна из самых кровопролитных войн, которую когда-либо переживало человечество. Поводом стало убийство в Сараево: сербский студент Гаврила Принцип, член тайной организации «Млада Босна», застрелил австрийского герцога Франца Фердинанда и его жену Софию. Таким образом Гаврила боролся за объединение всех южнославянских государств в одно. Поначалу общественность на удивление спокойно отнеслась к этому событию, однако Германия и Австро-Венгрия решили использовать сложившуюся ситуацию в своих интересах.

Все эти политические игры на тот момент не сильно волновали Георгия, однако начало войны ему запомнилось очень хорошо. В Москве громили иностранные магазины, агенты охранки и черносотенцы под прикрытием патриотических лозунгов организовали погром немецких и австрийских фирм. В это были вовлечены многие, стремившиеся попросту чем-либо поживиться. Но так как эти люди не могли прочесть вывески на иностранных языках, то заодно громили и другие иностранные фирмы – французские, английские.

Началась активная пропаганда, и многие молодые люди, охваченные патриотическими чувствами, добровольно шли на фронт. Среди них был Александр Пилихин. Он уговаривал и Георгия пойти с ним. Георгий с сочувствием отнесся к идеям друга, но все же решил посоветоваться с главным мастером.

Старик, угрюмо посмотрев на Георгия, сказал:

– Я очень хорошо понимаю, почему Сашка решил ввязаться в эту какофонию – ему есть за что сражаться, он же сын зажиточного человека. Но тебе-то на кой туда лезть. Вернешься через три месяца, искалеченный душой и телом, и кому ты тогда будешь нужен? Нет, милок, не дело это. Тут у тебя работа – какой-никакой материальный достаток, а уйдешь – всего лишишься. Не дури.

Произнеся эту короткую речь, он отвернулся.

Георгию слова мастери показались разумными, и он отказался от предложения Александра.

Сам Саша, обругав друга, все же отправился на фронт, откуда вернулся через несколько месяцев израненный.

Георгий пока продолжал работать в мастерской, жить на частной квартире. Он все больше убеждался в правильности своего решения, так как улицы Москвы были запружены ранеными, и это действовало угнетающе.

События на российском фронте складывались не удачно. Страна несла огромные потери, и скоро объявили дополнительный набор молодых людей. Подходила очередь Георгия.

Он, конечно, не испытывал энтузиазма, однако пообещал себе, что если уж и попадет на фронт, то будет честно драться за Россию.

Хозяин очень ценил Георгия как работника. Однажды сказал ему:

– Если хочешь, я устрою так, что тебя оставят на год по болезни и, может быть, оставят по чистой.

Георгий ответил, что вполне здоров и может идти на фронт.

– Ты что, хочешь быть таким же дураком, как Саша?

– Я буду защищать Родину. Это мой долг. – На этом наш разговор был окончен.

В конце июля 1915 года был объявлен досрочный призыв в армию молодежи моего года рождения. Георгий отпросился у хозяина съездить в деревню попрощаться с родителями, а заодно и помочь им с уборкой урожая.

Егора отправили в кавалерию, и он очень обрадовался возможности служить в коннице, так как тот вид войск всегда казался ему наиболее романтичным. Многие его товарищи попали в пехоту и завидовали Егору.

Вечером всех погрузили в товарные вагоны и повезли к месту назначения – в город Калугу. Впервые за все время Егор так сильно почувствовал тоску и одиночество. Кончилась юность. Он без конца задавался вопросом, готов ли ко взрослой жизни, готов ли идти в бой.

Товарные вагоны, где в которых оказались Егор и его товарищи, не были приспособлены для перевозки людей, поэтому пришлось всю дорогу стоять или сидеть прямо на грязном полу. Кто пел песни, кто резался в карты, кто плакал, изливая душу соседям. Некоторые сидели, стиснув зубы, неподвижно уставившись в одну точку, думая о будущей своей солдатской судьбе.

В Калугу прибыли ночью. Вышли товарной платформе. Раздались команды: «Становись!», «Равняйсь!» И все зашагали в противоположном направлении от города. Кто-то спросил у ефрейтора, куда всех ведут. Ефрейтор, видимо, был хороший человек, и он душевно сказал:

– Вот что, ребята, никогда не задавайте таких вопросов начальству. Солдат должен безмолвно выполнять приказы и команды, а куда ведут солдата – про то знает начальство.

Как бы в подтверждение его слов в голове колонны раздался зычный голос начальника команды:

– Прекратить разговоры в строю!

Коля Сивцов толкнул Егора локтем и прошептал:

– Ну вот, начинается служба солдатская.

Новоиспеченные солдаты шли часа три и порядком уже устали, когда становились на малый привал. Приближался рассвет, сильно клонило ко сну, и, как только присели на землю, сразу же отовсюду послышался храп.

Однако скоро опять раздалась команда: «Становись!» Все вновь зашагали вперед и через час пришли в лагерный городок. Разместили всех в бараке на голых нарах. Разрешили отдохнуть до утра. Здесь уже находилось около ста человек. В многочисленные щели и битые окна дул ветер. Но даже эта «вентиляция» не помогала. Стоял тяжелый запах, от которого некоторых с непривычки даже затошнило.

После завтрака всем выдали учебные пехотные винтовки. Отделенный командир ефрейтор Шахворостов объявил внутренний распорядок и обязанности новобранцев. Он строго предупредил, что, кроме как «по нужде», никто не может никуда отлучаться, если не хочет попасть в дисциплинарный батальон... Говорил он отрывисто и резко, сопровождая каждое слово взмахом кулака. В маленьких глазках его светилась такая злоба, как будто молодые парни были его заклятыми врагами.

– Да, – говорили солдаты, – от такого добра не жди...

Затем к строю подошел старший унтер-офицер. Ефрейтор скомандовал: «Смирно!»

– Я ваш взводный командир Малявко, – сказал старший унтер-офицер. – Надеюсь, вы хорошо поняли, что объяснил отделенный командир, а потому будете верно служить царю и отечеству. Самоволия я не потерплю!

Начался первый день строевых занятий. Все старались хорошо выполнить команду, тот или иной строевой прием или действие оружием. Но угодить начальству было нелегко, а тем более дождаться поощрения. Придравшись к тому, что один солдат сбился с ноги, взводный задержал всех на дополнительные занятия. На ужин дали какую-то холодную бурду.

Впечатление от первого дня было угнетающим. Хотелось скорее лечь на нары и заснуть. Но, словно разгадав эти намерения, взводный приказал построиться и объявил, что завтра всех выведут на общую вечернюю поверку, а потому сегодня придется разучить государственный гимн «Боже, царя храни!». Разучивание и спевка продолжались до ночи. В шесть часов утра солдаты были уже на ногах, на утренней зарядке.

Дни потянулись однообразные, как две капли воды похожие один на другой. Подошло первое воскресенье. Думали отдохнуть, выкупаться, но ребят вывели на уборку плаца и лагерного городка. Уборка затянулась до обеда, а после «мертвого часа» чистили оружие, чинили солдатскую амуницию и писали письма родным. Ефрейтор предупредил, что жаловаться в письмах ни на что нельзя, так как цензура все равно не пропустит.

Втягиваться в службу было нелегко. Но жизнь никого из ребят и до этого не баловала, и недели через две большинство привыкло к армейским порядкам.

Егора уж точно не баловала.

В конце второй недели обучения взвод был представлен на смотр ротному командиру – штабс-капитану Володину. Поговаривали, что он сильно пил, и, когда он пьян, лучше не попадать под горячую руку. Внешне этот ротный ничем особенно не отличался от других офицеров, но было заметно, что он без всякого интереса проверяет боевую подготовку. В заключение смотра он сказал, чтобы все больше старались, так как «за Богом молитва, а за царем служба не пропадут».

До отправления в 5-й запасный кавалерийский полк ребята видели ротного командира еще пару раз, и, кажется, он оба раза был навеселе. Что касается командира 189-го запасного батальона, то его за все время обучения так никто и не увидел.

В сентябре 1915 года взвод отправили на Украину в 5-й запасный кавалерийский полк. Располагался он в городе Балаклее Харьковской губернии. Миновав Балаклею, эшелон был доставлен на станцию Савинцы, где готовились маршевые пополнения для 10-й кавалерийской дивизии. На платформе их встретили подтянутые, одетые с иголочки кавалерийские унтер-офицеры и вахмистры. Одни были в гусарской форме, другие – в уланской, третьи – в драгунской.

После разбивки малоярославецкие новобранцы, москвичи и несколько ребят из Воронежской губернии были определены в драгунский эскадрон.

Егору было досадно, что он не попал в гусары, и, конечно, не только потому, что у гусар была более красивая форма. Просто всем было известно, что там лучшие и, главное, более человечные унтер-офицеры. А ведь от унтер-офицеров зависела судьба солдат.

Через день всем выдали кавалерийское обмундирование, конское снаряжение и закрепили за каждым лошадь. Егору попалась очень строптивая кобылица темно-серой масти по кличке Чашечная.

Служба в кавалерии оказалась интереснее, чем в пехоте, но значительно труднее. Кроме общих занятий, прибавились обучение конному делу, владению холодным оружием и трехкратная уборка лошадей. Вставать приходилось ни свет ни заря.

Труднее всего давалась конная подготовка, то есть езда, вольтижировка и владение холодным оружием – пикой и шашкой. Во время езды многие до крови растирали ноги, но жаловаться было нельзя. Отвечали лишь одно: «Терпи, казак, атаманом будешь». И все терпели до тех пор, пока не уселись крепко в седла.

Взводный, старший унтер-офицер Дураков, вопреки своей фамилии, оказался далеко не глупым человеком. Начальник он был очень требовательный, но солдат никогда не обижал и всегда был сдержан. Зато другой командир, младший унтер-офицер Бородавко, был ему полной противоположностью: крикливый, нервный и крайне скорый на расправу. Старослужащие говорили, что он не раз выбивал солдатам зубы.

Особенно беспощаден он был, когда руководил ездой. Ребята это хорошо почувствовали во время кратковременного отпуска их взводного. Бородавко, оставшись за взводного, развернулся вовсю. И как только он не издевался над солдатами! Днем гонял до упаду, на занятиях куражился особенно над теми, кто жил и работал до призыва в Москве, поскольку считал их «грамотеями» и слишком умными. А ночью по нескольку раз проверял внутренний наряд, ловил заснувших дневальных и избивал их. Солдаты были доведены до крайности.

Сговорившись, Егор с товарищами как-то подкараулили его в темном углу и, накинув ему на голову попону, избили до потери сознания. Не миновать бы всем им военно-полевого суда, но тут вернулся их взводный, который все уладил, а затем добился перевода Бородавко в другой эскадрон.

К весне 1916 года Егор и его товарищи были уже подготовленными кавалеристами. Стало известно, что будет сформирован маршевый эскадрон и впредь до отправления на фронт они продолжат обучение в основном по полевой программе.

Из числа наиболее подготовленных солдат отобрали тридцать человек, чтобы учить их на унтер-офицеров. В их число попал и Егор, которому вообще не хотелось идти в учебную команду. Но взводный, пользовавшийся всеобщим уважением за ум, порядочность и любовь к солдату, уговорил Егора пойти учиться.

– На фронте ты еще, друг, будешь, – произнес он, – а сейчас изучи-ка лучше глубже военное дело, оно тебе пригодится. Я убежден, что ты будешь хорошим унтер-офицером. – Потом, подумав немного, добавил: – Я вот не тороплюсь снова идти на фронт. За год на передовой я хорошо узнал, что это такое, и многое понял... Жаль, очень жаль, что так глупо гибнет наш народ, и за что, спрашивается?..

Больше он ничего не сказал. Но чувствовалось, что в душе этого человека возникло и уже выбивалось наружу противоречие между долгом солдата и человека-гражданина, который не хотел мириться с произволом царского режима. Егор поблагодарил его за совет и согласился пойти в учебную команду, которая располагалась в городе Изюме Харьковской губернии. Прибыло туда из разных частей около двухсот сорока человек.

Разместили всех по частным квартирам, и вскоре начались занятия. С начальством не повезло. Старший унтер-офицер оказался хуже, чем Бородавко. Егор даже не запомнил толком его фамилии, только прозвище – Четыре с половиной. Такое прозвище ему дали потому, что у него на правой руке указательный палец был наполовину короче. Однако это не мешало ему кулаком сбивать с ног солдата. Егора он не любил больше, чем других, но бить почему-то избегал. Зато донимал за малейшую оплошность, а то и, просто придравшись, подвергал всяким наказаниям.

Никто так часто не стоял «под шашкой при полной боевой», не перетаскал столько мешков с песком из конюшен до лагерных палаток и не нес дежурств по праздникам, как Егор. Он понимал, что все это – злоба крайне тупого и недоброго человека. Но зато был рад, что унтер никак не мог придраться на занятиях.

Убедившись, что Егора ничем не проймешь, Четыре с половиной решил изменить тактику – может быть, попросту хотел отвлечь Егора от боевой подготовки, где тот шел впереди других.

Как-то он позвал Егора к себе в палатку и сказал:

– Вот что, я вижу, ты парень с характером, грамотный, и тебе легко дается военное дело. Но ты москвич, рабочий, зачем тебе каждый день потеть на занятиях? Ты будешь моим нештатным переписчиком, будешь вести листы нарядов, отчетность по занятиям и выполнять другие поручения.

– Я пошел в учебную команду не затем, чтобы быть порученцем по всяким делам, – ответил Егор, – а для того, чтобы досконально изучить военное дело и стать унтер-офицером.

Четыре с половиной разозлился и пригрозил:

– Ну, смотри, я сделаю так, что ты никогда не будешь унтер-офицером!..

В июне подходил конец учебы и должны были начаться экзамены. По существовавшему порядку лучший в учебной команде получал при выпуске звание младшего унтер-офицера, а остальные выпускались из команды вице-унтер-офицерами, то есть кандидатами на унтер-офицерское звание. Никто не сомневался, что Егор должен был быть первым и обязательно получить при выпуске звание младшего унтер-офицера, а затем вакантное место отделенного командира.

Какая же была для всех неожиданность, когда за две недели до выпуска Егору перед строем объявили об отчислении из команды за недисциплинированность и нелояльное отношение к непосредственному начальству. Всем было ясно, что Четыре с половиной решил свести счеты. Но делать было нечего.

Помощь пришла совершенно неожиданно. Во взводе проходил подготовку вольноопределяющийся Скорино, брат заместителя командира эскадрона, где Егор проходил службу до учебной команды. Он очень плохо учился и не любил военное дело, но был приятный и общительный человек, и его побаивался даже наш Четыре с половиной. Скорино тут же пошел к начальнику учебной команды и доложил о несправедливом отношении.

Начальник команды приказал вызвать Егора, который порядком перетрусил, так как до этого никогда не разговаривал с офицерами. «Ну, думаю, пропал! Видимо, дисциплинарного батальона не миновать», – вспоминал он впоследствии.

Начальника команды солдаты знали мало. Слышали, что офицерское звание он получил за храбрость и был награжден почти полным бантом Георгиевских крестов. До войны он служил где-то в уланском полку вахмистром сверхсрочной службы. Видели его иногда только на вечерних поверках, говорили, что он болеет после тяжелого ранения.

Оказалось, что это человек с мягкими и теплыми глазами.

– Ну что, солдат, в службе не везет? – спросил он и указал Егору на стул.

Егор стоял и боялся присесть.

– Садись, садись, не бойся!.. Ты, кажется, москвич?

– Так точно, ваше благородие, – ответил Егор, стараясь произнести каждое слово как можно более громко и четко.

– Я ведь тоже москвич, работал до службы в Марьиной роще, по специальности краснодеревщик. Да вот застрял на военной службе, и теперь, видимо, придется посвятить себя военному делу, – мягко произнес он. Потом помолчал и добавил: – Вот что, солдат, на тебя поступила плохая характеристика. Пишут, что ты за четыре месяца обучения имеешь десяток взысканий и называешь своего взводного командира «шкурой» и прочими нехорошими словами. Так ли это?

– Да, ваше благородие, – ответил Егор. – Но одно могу доложить, что всякий на моем месте вел бы себя так же.

И Егор рассказал ему правдиво все, как было.

Офицер внимательно выслушал и сказал:

– Иди во взвод, готовься к экзаменам.

Егор был доволен тем, что так хорошо все кончилось. Однако при выпуске ему не дали первенства и он был выпущен из учебной команды наравне со всеми в звании вице-унтер-офицера.

В августе из полка пришел приказ о направлении окончивших учебную команду по маршевым эскадронам. Группу в пятнадцать человек приказано было отправить прямо на фронт – в 10-ю кавалерийскую дивизию. Там был и Егор.

Когда читали список перед строем команды, Четыре с половиной улыбался, давая понять, что от него зависит судьба каждого. Потом ребят накормили праздничным обедом и приказали собираться на погрузку. Взяв свои вещевые мешки, солдаты пошли на место построения фронтовой команды, а через несколько часов эшелон отправился в сторону Харькова.

Ехали очень долго, часами простаивая на разъездах, так как шла переброска на фронт какой-то пехотной дивизии. С фронта везли тяжелораненых, и санитарные поезда также стояли, пропуская эшелоны на фронт. От раненых многое узнали, и в первую очередь то, что наши войска очень плохо вооружены. Высший командный состав пользуется дурной репутацией, и среди солдат широко распространено мнение, что в верховном командовании сидят изменники, подкупленные немцами. Кормят солдат плохо. Эти известия с фронта действовали угнетающе, и ребята молча расходились по вагонам.

Высадились в районе Каменец-Подольска. Одновременно выгрузили и маршевое пополнение для 10-го гусарского Ингерманландского полка и около сотни лошадей для нашего 10-го драгунского Новгородского полка со всей положенной амуницией. Когда разгрузка подходила к концу, раздался сигнал воздушной тревоги. Все быстро укрылись, кто где мог. Самолет-разведчик противника покружился над нами и ушел на запад, сбросив несколько небольших бомб. Был убит солдат и ранено пять лошадей.

Это было первое боевое крещение. Из района выгрузки все пополнение походным порядком было направлено на реку Днестр, где в это время дивизия Егора стояла в резерве Юго-Западного фронта.

Прибыв в часть, ребята узнали, что Румыния объявила войну Германии и будет воевать на стороне русских против немцев. Ходили слухи, что дивизия должна в скором времени выступить непосредственно на фронт, но на какой именно участок, никто не знал.

В начале сентября дивизия, совершив походный марш, была сосредоточена в Быстрицком горно-лесистом районе, где она принимала непосредственное участие в боях, главным образом в пешем строю, так как условия местности не позволяли производить конных атак. Все чаще приходили тревожные сведения. Войска несли большие потери. Наступление, по существу, выдохлось, и фронт остановился. Плохо шли дела и на фронте румынских войск, которые вступили в войну слабо подготовленными, недостаточно вооруженными и в первых же сражениях с немецкими и австрийскими войсками понесли тяжелые потери.

Среди солдат нарастало недовольство, особенно когда приходили письма из дому, сообщавшие о голоде и страшной разрухе. Да и та картина, которую наблюдали ребята в селах прифронтовой полосы на Украине, в Буковине и Молдавии, говорила сама за себя. До каких же бедствий дошли крестьяне под гнетом царя, по безрассудству которого вот уже третий год лилась кровь крестьян и рабочих! Солдаты уже понимали, что они становятся калеками и гибнут не за свои интересы, а ради «сильных мира сего», за тех, кто их угнетал.

В октябре 1916 года Егору не повезло: находясь вместе с товарищами в разведке на подступах к Сайе-Реген в головном дозоре, они напоролись на мину и подорвались. Двоих тяжело ранило, а Егора выбросило из седла взрывной волной. Очнулся он только через сутки в госпитале. Вследствие тяжелой контузии его эвакуировали в Харьков.

Выйдя из госпиталя, Егор долго еще чувствовал недомогание и, самое главное, плохо слышал. Медицинская комиссия направила его в маршевый эскадрон в село Лагери, где с весны стояли его друзья по новобранческому эскадрону. Конечно, он был очень рад этому обстоятельству.

Попал Егор из эскадрона в учебную команду молодым солдатом, а вернулся с унтер-офицерскими лычками, фронтовым опытом и двумя Георгиевскими крестами на груди, которыми был награжден за захват в плен немецкого офицера и контузию.

К весне 1919 года Красная Армия выросла в значительную силу. Многие части уже получили боевую закалку и имели значительный опыт вооруженных столкновений. Просто солдаты понимали, за что он сражаются, понимали, какую цель преследуют их враги.

Хотя внутреннее положение Советской Республики несколько упрочилось, но в целом оно продолжало оставаться тяжелым.

Четырехлетняя империалистическая война разорила аграрную страну со слаборазвитой промышленностью. Из-за недостатка рабочей силы и сырья многие фабрики и заводы были закрыты еще при царизме. Подавляющее количество железной руды, каменного угля, нефти, хлопка, примерно три четверти чугуна, стали, сахара, большую часть хлеба производили как раз те районы страны, которые были заняты интервентами и белогвардейцами. Только поистине героические усилия партии и народа способствовали организации снабжения Красной Армии. При этом приходилось все время маневрировать скудными материально-техническими ресурсами, направляя их туда, где в данный момент решалась судьба страны. Остро не хватало самого необходимого – металла, топлива, одежды, хлеба.

В 1919 году Георгий оказался в составе кавалерийского полка, который двигался на Восточный фронт. А летом их часть перебросили на станцию Владимировка РУЖД, соединяющую Саратов с Астраханью, где полк занимается боевой подготовкой. Им было приказано ликвидировать банды белых в окрестностях Николаевска. Здесь Георгий познакомился с комиссаром дивизии, своим однофамильцем Георгием Васильевичем Жуковым.

Проходя мимо манежа, Георгий увидел, как комиссар дивизии «выезжает» лошадь, отрабатывая подъем коня в галоп с левой ноги. Конь все время давал сбой, вместо левой выбрасывал правую ногу. Георгий смотрел-смотрел и не выдержал:

– Укороти левый повод!

Комиссар, переведя коня на шаг, подъехал к молодому красноармейцу и, соскочив, сказал:

– А ну-ка попробуй сам.

Жуков попробовал и несколько кругов проскакал галопом без сбоя.

– Надо вести лошадь крепче в шенкелях, – наставительно заявил Егор комиссару.

Так они познакомились. Комиссар даже предложил Егору перейти на политработу. Но тот не согласился.

Тогда комиссар порекомендовал поехать учиться на курсы красных командиров.

Станция Владимировка находилась рядом с селом Заплавное Царицынского уезда Саратовской губернии, которое внезапно было захвачено белыми, перебравшимися через Волгу между Черным Яром и Царицыном. Начались бои – тут уже было не до учебы. У Бахтияровки и Заплавного сражался кавалерийский полк Егора против Кавказской армии Врангеля, истекая кровью. Отразив атаки белых, пытающихся перерезать железную дорогу Астрахань – Саратов, осенью 1919 года 11-я армия повела энергичное наступление на Царицын.

В бою между Заплавным и Ахтубой во время рукопашной схватки с белокалмыцкими частями Жуков был ранен осколками гранаты, глубоко врезавшимися в левую ногу и бок. Он был эвакуирован в лазарет, а оттуда отправлен в Саратовский госпиталь. Выносил Георгия с поля боя старый большевик Антон Митрофанович Янин, тоже раненный в этом бою. Он же на телеге отвез Жукова в лазарет в Саратов.

В саратовском госпитале Георгий познакомился с Марией Волоховой, сестрой милосердия, которая прилежно ухаживала за героем. Даже ночами она сидела у постели больного и рассказывала всякие истории.

Георгий с первого взгляда влюбился в Марию. И влюбился, как ни странно, не из-за внешности – а Мария была очень хороша собой. Просто Георгию в момент стало ясно, что они одного поля ягоды и всегда поймут друг друга. И не ошибся. С Марией всегда было легко общаться, она улавливала мысли и чувства Георгия с одного взгляда, с одного движения.

Марии было всего двадцать два года. Она происходила из бедной семьи, которая раньше жила в Полтаве. Отец ее умер несколько лет назад, и у Марии остались только мать и старшая сестра, Полина, которая работала в этом же госпитале и ухаживала за Яниным.

У Марии были чудесные голубые глаза, за что Георгий называл ее незабудкой, и очень нежные руки.

Это, как выяснилось потом, была судьбоносная встреча. Георгий через всю жизнь пронес чувство к Марии, несмотря на то что потом у него были и другие женщины; а Полина стала женой Янина.

Между Георгием и Марией закрутился бурный роман. Когда Георгий встал на ноги, они много часов провели вместе, рассказывая друг другу о своей жизни и поверяя секреты и душевные стремления. Для Георгия это было время откровений. Никогда и никому он не рассказывал того, что открыл своей «незабудке».

Однако их роман не мог продлиться долго. Рано или поздно Георгию предстояло вернуться на фронт.

Правда сначала Георгий получил месячный отпуск по состоянию здоровья и решил съездить в деревню – повидать родные места. Мария отправилась к родителям. Георгий же честно собирался жениться.

Снова знакомая дорога на поезде – и Георгий вернулся домой. Наконец увидел любимые лица отца с матерью. С сожалением узнал, что Лешка, лучший друг детства, тоже был призван на фронт и погиб всего несколько месяцев назад. Для Георгия это был первый удар. Вторым ударом стала новость о болезни отца.

В деревне властвовали нищета и голод, людям жилось очень тяжело, однако бедняки активно поддерживали советскую власть и не унывали. Верили еще, что все наладится.

Отпуск пролетел незаметно, и настала пора уезжать. На сердце было тяжело: угнетала печаль за судьбу Лешки, за отца, за Машу, которую пришлось оставить... Хоть и грустно Георгию было расставаться с родными, все же чувство патриотизма гнало его на поле боя. Явившись в военкомат, Георгий попросил направить его в действующую армию.

Георгию предложили сначала поехать на кавалерийские курсы в Рязанской губернии, которые располагались в здании бывшего поместья. Сюда посылали людей, отличившихся в бою. Георгию предложили должность курсанта-старшины 1-го эскадрона, и он согласился, так как это дело было ему уже знакомо. Он также обучал курсантов обращению с холодным оружием, штыковому бою, занимался строевой и физической подготовкой.

В июле курсантов быстро и без объяснений погрузили в эшелон и повезли в сторону Москвы.

В конце декабря Георгий оказался в Воронежской губернии. Там их отряду предстояло ликвидировать кулацкое восстание и банду Колесникова.

В Воронеже Георгий познакомился с Александрой Зуйковой.

Он вместе с Яниным остановились на ночь в доме священника. Пили чай, и вдруг Георгий услышал шорох. Он сказал шепотом Янину:

– За печкой кто-то шевелится.

Встал, подошел к печке и говорит:

– Эй, кто там? Вылезай давай!

С печки спустилась растерянная девушка. Георгий посмотрел на неё строго:

– Ты кто?

Она ответила:

– Я поповна.

Тут Георгий захохотал:

– Янин, ты когда-нибудь видел живую поповну? – И усадил ее за стол.

Так завязался его роман с Александрой Зуйковой. Александра родилась в многодетной семье в Воронеже. Отец ее, Дий Алексеевич Зуйков, был добрейшим человеком.

Георгий при первой встрече был очарован Александрой, которой было всего двадцать лет. Она не была красива классической красотой, однако живость ее взгляда, ее веселый нрав делали Сашу невероятно привлекательной. А острый ум и образованность подавно покорили Георгия. Александра окончила учительские курсы и преподавала в местной школе. Дети ее очень любили, прислушивались к ней; никто в школе не пользовался таким авторитетом, как она. Она всегда была весела, с удовольствием общалась с людьми, легко входила с ним в контакт; участвовала в общественной работе – в женсоветах, детских домах и школьных родительских комитетах.

В Георгия Александра влюбилась быстро и без оглядки. Такой у нее был характер: если она что-то решала, ее было не остановить. Она покорила Георгия буквально одним словом, одним жестом.

Когда Георгий узнал возлюбленную немного лучше, он понял, что ее единственный недостаток – это взрывной характер. Под действием эмоций Саша могла выкинуть все что угодно, не задумываясь о последствиях. Однажды она даже ударила Георгия, когда он в ее присутствии позволил себе бросить восхищенный взгляд на другую женщину.

Вскоре Георгий и Саша поняли, что не могут находиться далеко друг от друга; тогда Александра ушла из школы, ее назначили писарем при штабе отряда, так как хотела всегда быть при Георгии.

Саша помогала ему совершенствовать русский язык и письмо, ведь самому Георгию знаний не хватало. Она упорно доказывала ему свою преданность, хотя он того никогда и не требовал.

Когда банда Колесникова была разгромлена, оставшиеся бежали в Тамбовскую губернию, собираясь примкнуть к банде Антонова.

Антонов происходил из мещан города Кирсанова Тамбовской губернии. Учился в реальном училище, но за плохое поведение и хулиганские проделки был исключен; уехал из Кирсанова, примкнул к шайке уголовных преступников и занялся грабежами, сопровождавшимися нередко убийствами. Потом вступил в партию эсеров. Впоследствии за уголовные преступления был сослан в Сибирь на каторгу. В Тамбовской губернии Антонов вновь появился в 1917 году, в период Февральской революции. Вскоре занял должность начальника кирсановской уездной милиции. Всюду расставлял своих людей. Главными его сподвижниками были известные эсеры Баженов, Махневич, Зоев и Лощинин. К августу 1920 года у Антонова в подчинении была большая, сильная шайка.

Заняв какой-либо важный населенный пункт, антоновцы тут же приступали к созданию нового отряда. Отряды постепенно сводились в полки до тысячи человек.

В конце 1920 года банды Антонова объединились в так нзываемую армию, хотя штабные поначалу даже не воспринимали ее всерьез.

– Так... воду помутят... – говорили они.

И были неправы.

В главный оперштаб этой «армии» вошли старые эсеры Богуславский, Гусаров, Токмаков и Митрофанович. Командующим был избран Токмаков, а Анюнов – начальником штаба. Вскоре была создана и вторая «антоновская армия». Вся военная власть попрежнему была сосредоточена в руках Антонова. Части были вооружены пулеметами, винтовками, револьверами, шашками.

Все они мечтали свергнуть советскую власть.

Антоновцы никогда не вступали в бой с превосходящим силы противником, именно поэтому их называли трусами.

Командовал войсками, которые был призваны бороться с антоновцами, М. Н. Тухачевский. Все бойцы радовались такому руководителю, так как Тухачевский слыл талантливым стратегом и полководцем.

Георгий впервые увидел Тухачевского на станции Жердевка. Именно там находилась их кавалерийская бригада. Георгий смог присутствовать при его беседе с командиром бригады. В суждениях Тухачевского чувствовались большие знания и опыт руководства операциями крупного масштаба.

После обсуждения предстоящих действий бригады Михаил Николаевич разговаривал с бойцами и командирами. Он интересовался, кто где воевал, каково настроение в частях и у населения, какая полезная работа проведена среди местных жителей.

Перед отъездом он сказал:

– Владимир Ильич Ленин считает необходимым как можно быстрее ликвидировать кулацкие мятежи и их вооруженные банды. На вас возложена ответственная задача. Надо все сделать, чтобы выполнить ее как можно быстрее и лучше.

Тухачевский обеспечил армии победу на антоновцами. Его заместитель, Уборевич, тоже принимал активное участие в разработке плана войны, а также демонстрировал чудеса храбрости на поле боя.

В конце мая 1921 года наступил апофеоз борьбы с бандами. Заключительное поражение антоновцы потерпели у Сердобска, Бакуры, Елани, где боевые действия возглавил как раз Уборевич.

Остатки разгромленной банды бросились врассыпную в общем направлении на Пензу. В Саратовской губернии они были почти полностью ликвидированы с помощью крестьян, ненавидевших бандитов.

Конечно, за плечами Георгия было много трудных боев, и временами уверенность и сила изменяли ему. Тогда на помощь приходила возлюбленная – Александра. Только она умела успокоить, взбодрить Георгия. Следуя своему решению, она шла за ним всюду. Она была готова пойти даже на поле боя, если это могло спасти жизнь Георгию.

Особенно тяжелым был бой весной 1921 года под селом Вязовая Почта, недалеко от станции Жердевка. Полк Георгия подняли сигналом тревоги рано утром. Разведчики доложили, что антоновцы засели недалеко от села.

Пройдя не более пяти километров, эскадрон столкнулся с отрядом антоновцев. Их было около двухсот пятидесяти человек. Георгий и его товарищи не испугались и, несмотря на численное превосходство противника, бросились в бой, не раздумывая. Завязалась рукопашная. Враг выстрелом из обреза убил коня Георгия. Падая, конь придавил наездника, и он был бы неминуемо зарублен, если бы не выручил подоспевший политрук Ночевка. Сильным ударом клинка он зарубил бандита и, схватив за поводья его коня, помог Георгию сесть в седло.

В момент опасности сердце Георгия не дрогнула, а главной была мысль о Сашеньке, об их первой встрече.

Вскоре в эскадроне Красной Армии заметили колонну конницы противника, стремившуюся обойти фланг эскадрона. Немедленно развернули против нее все огневые средства и послали доложить командиру полка сложившуюся обстановку. Через полчаса минут полк двинулся вперед и завязал огневой бой.

Бой был невероятно тяжелым. Антоновцы, конечно, видели, что враг уступает им в силе, и пытались задавить его числом. Спасло только то, что при эскадроне было четыре станковых пулемета с большим запасом патронов.

Маневрируя пулеметами и орудием, эскадрон почти в упор расстреливал атакующие порядки противника. Георгий видел, как поле боя покрывалось вражескими трупами, и медленно, шаг за шагом, антоновцы с боем отходили назад. Но и ряды армии редели. Прямо на глазах Георгия погиб командир и товарищ Ухач-Огорович.

Это был способный командир и хорошо воспитанный человек. Отец его, полковник старой армии, с первых дней перешел на сторону советской власти, был одним из ведущих преподавателей рязанских командных курсов.

Его, как и всех раненых и убитых, армейцы увезли с собой на пулеметных санях и орудийном лафете, чтобы бандиты не могли над ними надругаться.

Дальше случилась неприятность. Лед на реке не выдержал, и всем солдатам пришлось отходить до самой Вязовой Почты.

Когда уже добрались до села, Георгий не выдержал и бросился вперед на врага. Снова убили лошадь под ним. На этот раз – выстрелом из винтовки. Бандиты наступали, хотели взять в плен, однако Георгий отбивался изо всех сил, которые, правда, были уже на исходе. Опять Георгия спас товарищ Ночевка, подскочивший с бойцами Брыксиным, Юршковым и Ковалевым.

Бой был тяжелым, и результаты оказались неутешительными. Эскадрон потерял убитыми много человек, несколько были серьезно ранены.

После сражения Георгий устало прильнул к плечу Александры и заплакал. По его щекам катились самые настоящие слезы. А Саша и не думала ничего говорить, она просто гладила его по голове, успокаивая. Сколько они так простояли – неизвестно. Может, час, а может, секунду; Георгию стало немного легче, но вряд ли но когда-нибудь сможет забыть лица гибнувших в жестоком сражении товарищей.

Это был тяжелый для нас день. Потеря многих наших боевых товарищей болью отозвалась в сердце каждого из солдат. Только сознание, что была разгромлена такая многочисленная банда, приносило удовлетворение.

В конце лета 1921 года проводилась окончательная ликвидация мелких банд, разбежавшихся по Тамбовщине. Их надо было добить как можно скорее. Перед эскадроном Георгия поставили задачу ликвидировать банду Зверева, в которой было человек сто пятьдесят. Банда вскоре была обнаружена. Началось ее преследование. Понемногу силы бандитов иссякали. На подходе к лесу нам удалось их догнать и атаковать.

В течение часа все было кончено, но пять бандитов во главе со Зверевым все же удрали и, пользуясь наступающими сумерками, скрылись в лесу. Однако им уже ничто не могло помочь: ликвидация антоновских банд на Тамбовщине была завершена.

В это время произошел один необычный случай.

Преследуя банду, солдаты неожиданно столкнулись с двумя бронемашинами, которые выскочили из соседнего села. Все знали, что банда не имеет броневиков, а потому и не открывали по ним огонь. Однако броневики, заняв выгодную позицию, повернули пулеметы в сторону Георгия и его товарищей. Что такое? Послали связных. Оказалось, что это сам Уборевич. Узнав об уходе банды в направлении леса, он решил перехватить ее на пути. Хорошо, что разобрались, а то могло бы плохо кончиться.

Так Георгий познакомился с Уборевичем. Позднее они часто встречались, один раз в Белоруссии.

В то время начались первые размолвки с Сашей. Георгий был молод, и его тянуло к красивым женщинам. Нельзя было обвинить его в пренебрежении к Александре, однако он все больше и больше отдалялся от нее. Она прекрасно знала, что у него были связи на стороне, но терпела. Стерпела она и тогда, когда Георгий получил от начальства выговор в письменном виде за «неподобающее поведение».

В тот вечер Георгий особенно сильно напился, и не обошлось без интрижки...

Все стало намного хуже, когда их часть оказалась в Минске.

Там Георгий повстречал свою первую любовь, Марию Волохову. Шел 1923 год, Георгий тогда командовал 39-м кавалерийским полком. В то время Мария как раз жила в Минске.

Тут уж Александра почувствовала настоящую угрозу. Она поняла, что прежние кратковременные интрижки не идут ни в какое сравнение с нынешней связью. Мария не была похожа на остальных женщин.

Георгий заметил, что годы не испортили ее; в его груди взыграло старое чувство. Маша поначалу сопротивлялась, не хотела возобновлять отношения, но все же не устояла перед соблазном.

Тяжелым бременем для Маши стало присутствие в жизни Георгия другой женщины. Тем более той, которую он безмерно любил. Георгий, казалось, и не собирался расставаться с Александрой, а Мария не могла найти сил второй раз отпустить своего любимого.

Так они прожили шесть лет. В 1928 году Александра с Георгием решились взять на воспитание девочку Эру. Сама Александра страдала бесплодием.

Александра и Мария прекрасно знали друг о друге, но мирились с ситуацией, в глубине души считая, что великий человек имеет право на слабости. Единственное, чего не могла стерпеть ни та, ни другая, это когда Георгий заглядывался еще и незнакомок. Обе устраивали ему скандал, но бесполезно.

Георгий между тем так и не смог выбрать. Он любил и Марию, и Александру и обеих считал своими спутницами жизни.

В 1929 году Мария родила от Георгия дочку, которую назвали Маргаритой. Тут уж надо было решаться на что-то, и

Георгий, собрав волю в кулак, ушел от Саши.

Характер Александры проявился во всей красе. Разразился настоящий скандал. Сначала она умоляла Георгия вернуться, даже предлагала взять девочку на воспитание. Когда Георгий отказался, она принялась угрожать, что ославит его на весь белый свет, а Марии плеснет в лицо кислотой. Когда и это не подействовало, она написала на Георгия заявление, и партия сделала ему выговор «за двоеженство».

Да и Марии уже порядком надоело терпеть эту ситуацию. Гордость все же взыграла. К тому ее постигло несчастье – от тифа умерла ее сестра Полина. Янин остался с маленьким ребенком на руках, сыном Володей, и предложил Маше уехать из Минска и воспитывать детей вместе. Мария согласилась, однако Янин с войны так и не вернулся.

Мария уехала в Минводы, а Георгий остался с Александрой, однако на душе у него было тяжело.

Позже, в 1937 году, Георгий с Сашей взяли на воспитание еще одну девочку, Эллу. Семья увеличивалась, но скандалы не прекращались. Зуйкова требовала официальной регистрации брака, а Георгий отнекивался.

Часть 3

...Прошли долгие годы. Остались позади трудности Гражданской войны, которые приходилось преодолевать русскому народу. Но Георгий никогда не забывал о том, что воевали не напрасно, отстаивали идеи, продвигаемые партией Ленина.

На основе опыта прошлых войн, в том числе и опыта Первой мировой, разрабатывалась советская военно-политическая стратегия, закладывались основы оперативно-стратегического искусства вооруженных сил, характерными особенностями которого была целеустремленность, решительность и величайшая активность в разгроме внешней и внутренней контрреволюции.

Советской армии пошло на пользу то, что во время войны она использовала лишь собственные – внутренние – ресурсы, в то время как Антанта была вынуждена прибегать к помощи внешнего мира. Правда, в те времена в СССР было очень мало стратегических резервов, а всякий крупный маневр с целью создания превосходства в силах и средствах в избранном направлении приходилось осуществлять за счет изъятия войск из состава действующих фронтов и армии, а иногда прямо с полей сражений.

В годы Гражданской войны вследствие недостатков резервов частям Красной Армии приходилось сражаться на фронтах без всякого отдыха многие месяцы: то наступая, преследуя врага, то отступая под его ударами.

Ни одна армия капиталистического государства не смогла бы выдержать такую физическую нагрузку и моральные потрясения. Только рабоче-крестьянской армии, армии, защищающей свою, советскую власть, оказалась под силу такая морально-физическая нагрузка. Будучи переброшенными с других фронтов, части и соединения без всякого отдыха вновь вступали в сражения на других фронтах и успешно громили врага, проявляя при этом активность, стойкость, решимость и отвагу. Была проведена огромная работа, и в результате в конце Гражданской войны страна стала единым лагерем. Люди были готовы приложить все силы, чтобы окончательно разгромить врага.

Основой планов военных операций были приказы Ленина, который был лично связан с Главным военным командованием, фронтами и армиями, близко знал многих командиров и политработников. С ними он вел большую переписку. За годы гражданской войны, по далеко не полным данным, за подписью В. И. Ленина было отправлено около шестисот писем и телеграмм по вопросам обороны Советского государства.

В годы гражданской войны партия и народ не только победили врага, но и, борясь с ним, заложили основы массовой регулярной армии, комплектуемой на основе воинской обязанности трудящихся. Были созданы центральный и местный аппараты военного управления, разработаны первые уставы и наставления, введена единая организация частей и соединений.

Однако настал период демобилизации, и людей было сложно удержать в армии. Всех тянуло домой, к родным.

Шел 1937 год. Двадцать лет существования советской власти, двадцать лет тяжелой борьбы и славных побед, развитие экономики и культуры, успехи, достигнутые на всех участках строительства социализма, продемонстрировали величие идей Октябрьской революции.

Сделано было много, неслыханно много для такого короткого исторического срока. Мощная база обороны страны была создана. В стране была сильная армия, были построены десятки и сотни оборонных предприятий. После гражданской войны не было специальных заводов, производивших танки, самолеты, авиационные двигатели, мощные артиллерийские системы, средства радиосвязи и другие виды современной боевой техники и вооружения. Почти во всем приходилось начинать на пустом месте. В связи со сложностью международной обстановки, растущей возможностью агрессии со стороны империалистических государств партия намечает на годы первой и второй пятилеток более высокие темны развития оборонной индустрии, чем всех других отраслей промышленности.

Перед учеными, инженерами, изобретателями поставлена задача – создать такие образцы военной техники и оружия, которые не только не уступали бы иностранным, но и смогли бы превзойти их по боевым качествам. Практически по каждому виду вооруженных сил и роду войск создаются крупные военно-конструкторские бюро, лаборатории и научно-исследовательские институты. Родились десятки талантливых конструкторских коллективов, горячо взявшихся за дело.

Основным направлением развития стрелкового оружия было упрощение его устройства, облегчение веса и увеличение скорострельности. Знаменитая русская трехлинейная винтовка, созданная капитаном русской армии С. И. Мосиным, была модернизирована. Быстро возрастал выпуск танков.

Страна готовилась. А к чему... пока еще никто не знал, но все чувствовали приближение страшных событий.

В 1935 году фашистская Италия захватила Абиссинию, в 1936 году Германия и Италия развернули интервенцию против республиканской Испании. Начинались не просто битвы и сражения одних стран против других, а глобальная схватка сил реакции и фашизма с силами демократии и социализма. Охваченные романтическим, революционным порывом, в Испанию отправлялись добровольцами летчики, танкисты, артиллеристы, простые солдаты и видные военачальники.

Экономика, культура бурно развивались, жизнь заметно улучшалась, тысячи энтузиастов устанавливали трудовые рекорды.

В армии господствовало желание учиться, хорошо овладеть своим делом. Морально-политическим качествам войск можно было дать высшую оценку. Такой атмосфере способствовала огромная работа, проведенная партией с целью повышения общей культуры красноармейских масс, чрезвычайно развитая система обучения, изменение самого кадрового состава войск.

К 1937 году Красная Армия стала армией сплошной грамотности. Ее ряды пополнялись молодыми людьми, которые уже имели специальности трактористов, комбайнеров, шоферов и т.д.

В военных училищах и школах обучалась молодежь, имевшая образование не ниже семи классов. Комсомол, который теперь стал шефом Военно-Воздушных Сил, дал авиации тысячи прекрасных молодых людей, из которых выросли замечательные летчики, командиры, политработники. Учебный процесс непрерывно совершенствовался, учебные планы насыщались теоретическими дисциплинами и практическими занятиями, связанными с умелым применением в бою новой техники.

Благотворные изменения произошли в классовом составе армии. Из старых военных специалистов в армии остались лишь проверенные жизнью, преданные советской власти, а новые кадры специалистов состояли из рабочих и крестьян, прошедших школу Гражданской войны или получивших техническое образование и политическое воспитание в военно-учебных заведениях.

Двадцать лет существования советской власти, двадцать лет тяжелой борьбы и славных побед, одержанных советским народом в борьбе с внутренней контрреволюцией и внешними врагами, в борьбе за экономическое и культурное строительство и достигнутые успехи на всех участках строительство социализма, казалось, должны были убедить советский народ в правильности идей Великой Октябрьской социалистической революции. Однако в стране создалась жуткая обстановка. Никто никому не доверял, люди стали бояться друг друга, избегали встреч и каких-либо разговоров, а если нужно было, старались говорить в присутствии третьих лиц – свидетелей. Развернулась небывалая клеветническая кампания. Клеветали зачастую на кристально честных людей, а иногда на своих близких друзей. И все это делалось из-за страха не быть заподозренным в нелояльности. И эта жуткая обстановка продолжала накаляться.

Советские люди от мала до велика не понимали, что происходит, почему так широко распространились среди нашего народа аресты. И не только члены партии, но и беспартийные люди с недоумением и внутренним страхом смотрели на все выше поднимавшуюся волну арестов, и, конечно, никто не мог открыто высказать свое недоумение, свое неверие в то, что арестовывают действительных врагов народа и что арестованные на самом деле занимались какой-либо антисоветской деятельностью или состояли в контрреволюционной организации. Каждый честный советский человек, ложась спать, не мог быть уверенным в том, что его не заберут этой ночью по какому-нибудь клеветническому доносу.

В 1937 году был арестован командир 3-го конного корпуса, в котором служил и Георгий, Данило Сердич, как «враг народа». Что же это за враг народа? Сердич по национальности серб. С первых дней создания Красной Армии он встал под ее знамена и непрерывно сражался в рядах Первой конной армии с белогвардейщиной и иностранными интервентами. Это был храбрейший командир, которому верили и за которым смело шли в бой прославленные конармейцы. Будучи командиром эскадрона и командиром полка Первой конной армии, Сердич вписал своими смелыми, боевыми подвигами много славных страниц в летопись немеркнущих и блистательных побед Олеко Дундича. И вдруг Сердич оказался «врагом народа».

Кто этому мог поверить из тех, кто хорошо его знал?

Несмотря на то, что кругом шли аресты, основное ядро командно-политического состава дивизии работало требовательно, с полным напряжением своих сил, мобилизуя личный состав дивизии на отличное выполнение задач боевой подготовки. И что особенно радовало – это то, что партийная организация частей дивизии была крепко сплочена и пресекала любую попытку каких-либо клеветников ошельмовать того или иного коммуниста, командира или политработника.

Вскоре Георгия назначили командиром 3-го конного корпуса. По прибытии в корпус его встретил начальник штаба корпуса Самарский.

Недели через две Георгий ознакомился с состоянием дел во всех частях корпуса и, к сожалению, должен был признать, что в большинстве частей корпуса в связи с арестами резко упала боевая и политическая подготовка командно-политического состава, понизилась требовательность и, как следствие, ослабла дисциплина и вся служба личного состава. В ряде случаев демагоги подняли голову и пытались терроризировать требовательных командиров, пришивая им ярлыки «вражеского подхода» к воспитанию личного состава. Особенно резко упала боевая и политическая подготовка в частях 24-й кавалерийской дивизии. Дивизия стояла в районе города Лепель, и ее жилищно-бытовая и учебная базы были еще далеки от завершения. На этой основе возникало много нездоровых настроений, а ко всему этому прибавились настроения, связанные с арестами командиров.

Находились и такие, которые занимались злостной клеветой на честных командиров с целью подрыва доверия к ним со стороны солдат и начальствующего состава. Пришлось резко вмешаться в положение дел, кое-кого решительно одернуть и поставить вопрос так, как этого требовали интересы дела. Правда, при этом Георгий кое-где позволил себе лишнее словцо, а кое-кого даже ударил.

Александра с двумя дочерьми приехала в Монголию в сентябре 1939 года. До этого Георгий регулярно писал ей в Смоленск. Например, 26 июля, вскоре после Баин-Цаганского сражения, бодро сообщал: «В районе боевых действий населенных пунктов нет, кругом степь на сотни километров и ни одного дерева. Но степь имеет также свою красоту – очень много дичи и другого зверя. Здесь очень хорошая охота. Козы гуляют прямо стадами (похоже, Георгий Константинович и в боевой обстановке для своей любимой охоты находил время). Ну, пока, крепко вас целую много, много раз». А в августе, 21-го числа, в дни решающего наступления, прислал только короткую телеграмму: «Здоров. Писать письма нет времени. Круглосуточно занят сложными вопросами. Получил очередное звание. Порученца вышлю в сентябре. Сейчас от Улан-Батора далеко. Обнимаю всех. Жуков».

В середине сентября, перед самым отъездом, Александра получила от мужа еще одно письмо: «Я жив, здоров. Ты, наверно, из газет уже знаешь сообщения ТАСС о боях на монгальско-маньчжурской границе. Ты, теперь, очевидно, понимаешь, почему так срочно мне пришлось выехать из Смоленска. Тебе также должно быть известно из сообщения ТАСС, что японские самураи разбиты как на земле, так и в воздухе. Но враг очень хитер, и от него приходится ждать всякой каверзы. Это мы хорошо учитываем и всегда готовы на его действия ответить двойным ударом... Как будут развиваться события в дальнейшем – сказать трудно. Мы готовы к полному уничтожению всей этой гадости. Вот Эрочка хотела, чтобы папочка подрался, – это удовольствие сейчас испытываю. Чувствую себя в действиях очень хорошо. Короче, так, как это было в нашу Гражданскую войну. Мы потерь имеем мало...»

О величине потерь Георгий Константинович добросовестно заблуждался. В Красной Армии в донесениях вышестоящему начальству командиры всегда сильно занижали собственные потери и завышали потери противника. Последние определялись по старому суворовскому принципу: «Пиши поболе. Чего их, супостатов, жалеть». Так, сразу после финской войны штаб Ленинградского военного округа опубликовал данные, будто советские войска потеряли 48 745 убитыми и умершими от ран, что занижало истинный размер безвозвратных потерь почти втрое. А общие советские потери на Халхин-Голе вплоть до 80-х годов определялись (вероятно, по первоначальным донесениям из войск) всего в 9 824 убитых и раненых. На эти цифры, занижавшие истинные потери почти в два с половиной раза, и ориентировался Георгий, когда писал жене о своих успехах. Да еще мысленно сопоставлял их со столь же фантастическими цифрами донесений о японских потерях в 55 тысяч человек. Впятеро больше уложил «этой гадости», чем потерял своих солдат. Георгий не поверил бы никаким скептикам. Он искренне верил в свою полководческую гениальность, в то, что во всех сражениях подчиненные ему войска уничтожали больше неприятельских солдат, чем теряли сами, и лишь иногда позволяли себе роскошь потерять столько же, сколько и противник. Но никогда, убеждал себя Георгий, его дивизии, армии и фронты не теряли людей больше, чем японские или германские «супостаты».

К счастью, когда Александра Диевна, Эра и Элла прибыли в Монголию, войны там уже не было. Эра хорошо запомнила первую в своей жизни зарубежную поездку: «Семь дней мы ехали поездом до Улан-Удэ, а оттуда машиной до Улан-Батора. Мне все было интересно, тем более что мы впервые имели отдельное купе, все в красном дереве и бархате, а вот маленькой Леке было невмоготу, и по ночам она просилась домой. Помню, как, проезжая ночью озеро Байкал, о котором писал папа, мы с мамой не могли оторваться от вагонного окна, наблюдая, как белая и пенистая волна озера почти подступает к железнодорожному полотну. Затем очень долго – 600 километров по пыльной дороге – до места назначения добирались на эмке. Папа нас не встретил, хотя, судя по письмам, такое намерение у него было. Добравшись до Улан-Батора, свой быт в новом доме мы устраивали сами с помощью порученца и соседей, которые встретили нас очень радушно».

Дом Эре понравился – стоит на пригорке, светлый, просторный, удобный. Вот климат не радовал – летом жарко и пыльно, зимой холодно и ветрено, даже метели случаются. Приходилось во дворе городка натягивать канаты, чтобы не сбиться с пути во время снежного бурана. И питьевую воду приходилось возить издалека и сливать в стоявший на кухне большой бак.

А потом началась война. Прямо посреди ночи начальник штаба Западного округа доложил о налете немецкой авиации на города Белоруссии; еще через несколько минут стало известно о налете на Украину, затем на Каунус и другие города. Георгий стал звонить Сталину, но к телефону никто не подходил. Георгий не сдавался. Наконец начальник охраны ответил сонным голосом:

– Кто говорит?

– Начальник Генштаба Жуков. Прошу срочно соединить меня с товарищем Сталиным.

– Что? Сейчас?! – изумился начальник охраны. – Товарищ Сталин спит.

– Будите немедля: немцы бомбят наши города, началась война.

Несколько мгновений длится молчание. Наконец в трубке глухо ответили:

– Подождите.

Минуты через три к аппарату подошел сам Сталин.

Георгий быстро доложил обстановку и просил разрешения начать ответные боевые действия. Сталин молчал. Жуков слышал лишь его тяжелое дыхание.

– Вы меня поняли?

Опять молчание.

– Будут ли указания? – настаивал Георгий.

Наконец, как будто очнувшись, Сталин спросил:

– Где нарком?

– Говорит по ВЧ с Киевским округом.

– Приезжайте с Тимошенко в Кремль. Скажите Поскребышеву, чтобы он вызвал всех членов Политбюро.

В четыре часа Георгий вновь разговаривал с Октябрьским. Он спокойным тоном доложил:

– Вражеский налет отбит. Попытка удара по нашим кораблям сорвана. Но в городе есть разрушения.

Сталин был бледен и сидел за столом, держа в руках не набитую табаком трубку. Затем недоумевающе произнес:

– Не провокация ли это немецких генералов?

– Немцы бомбят наши города на Украине, в Белоруссии и Прибалтике. Какая же это провокация?.. – ответил С. К. Тимошенко.

– Если нужно организовать провокацию, – сказал Сталин, – то немецкие генералы бомбят и свои города... – И, подумав немного, продолжал: – Гитлер наверняка не знает об этом.

– Надо срочно позвонить в германское посольство, – обратился он к Молотову.

Через несколько минут стало ясно, что Германия объявила СССР войну.

Наступила длительная, тягостная пауза.

Георгий рискнул нарушить затянувшееся молчание и предложил немедленно обрушиться всеми имеющимися в приграничных округах силами на прорвавшиеся части противника и задержать их дальнейшее продвижение.

Вернувшись с Тимошенко в Наркомат обороны, они выяснили, что перед рассветом 22 июня во всех западных приграничных округах была нарушена проводная связь с войсками и штабы округов и армий не имели возможности быстро передать свои распоряжения. Заброшенные ранее немцами на территорию СССР диверсионные группы в ряде мест разрушили проволочную связь. Они убивали связистов, нападали на командиров. Радио средствами значительная часть войск приграничных округов не была обеспечена. Поэтому связь с войсками осуществлялась по воздушно-проволочным средствам связи.

Не имея связи, командармы и некоторые командующие округами выехали непосредственно в войска, чтобы на месте разобраться в обстановке. Но так как события развивались с большой быстротой, этот способ управления еще больше осложнил работу.

В штабы округов из различных источников начали поступать самые противоречивые сведения, зачастую провокационного и панического характера.

Генеральный штаб, в свою очередь, не мог добиться от штабов округов и войск точных сведений, и, естественно, это не могло не поставить на какой-то момент Главное командование и Генеральный штаб в затруднительное положение.

Так оно все и началось. Снова война. Георгий позвонил домой и предупредил, чтобы его не ждали, а затем вспомнил, что уже давно ничего не ел. Перекусил бутербродами с крепким чаем.

Начались пограничные сражения, благодаря которым был сорван план фашисткой Германии. Противник понес тяжелые потери и убедился в стойкости советских воинов, готовых драться до последней капли крови.

Небезынтересна оценка, которую дал этому сражению в своих воспоминаниях бывший командующий 3-й немецкой танковой группой генерал Гот: «Тяжелее всех пришлось группе «Юг». Войска противника, оборонявшегося перед соединениями северного крыла, были отброшены от границы, но они быстро оправились от неожиданного удара и контратаками своих резервов и располагавшихся в глубине танковых частей остановили продвижение немецких войск. Оперативный прорыв 1-й танковой группы, приданной 6-й армии, до 28 июня достигнут не был. Большим препятствием на пути наступления немецких частей были мощные контрудары противника».

Начались суровые испытания для советского народа.

* * *

С начала Второй мировой войны Георгий быстро продвигается по служебной лестнице. В июне 1940 года его назначили командующим войсками Киевского особого военного округа; а с января он стал начальником Генерального штаба – заместителем народного комиссара обороны СССР.

В годы Великой Отечественной войны полководческий талант Георгия раскрылся в полной мере. 23 июня 1941 г. его назначили членом Ставки Верховного Главнокомандования. В августе 1942 г. – первым заместителем народного комиссара обороны СССР и заместителем Верховного Главнокомандующего Сталина. Уже в первые дни вражеского вторжения Жуков организовал на Юго-Западном фронте контрудар силами нескольких механизированных корпусов в районе города Броды. Это было первое крупное танковое сражение с начала Второй мировой войны. Под Берестечко, Луцком и Дубно советские танки сходу атаковали наступающие колонны немцев. С обеих сторон на участке шириной всего до семидесяти километров столкнулось около двух тысяч бронированных машин. В результате операции план высшего гитлеровского командования с ходу прорваться к столице Украины городу Киеву и выйти на левобережье Днепра был сорван. Советские корпуса были обескровлены, но и неприятель понес немалые потери в боевой технике, что заметно снизило его возможности.

В конце июля генерал армии Георгий был отстранен Сталиным от должности начальника Генштаба. Это произошло из-за желания вождя во что бы то ни стало удержать Киев, тогда как генерал предлагал немедленно отойти на левый берег Днепра, спасая войска от окружения. Тем не менее вскоре Георгий занял заметный участок борьбы с захватчиками. В августе — сентябре 1941 г. он командовал войсками Резервного фронта и в условиях продолжающегося продвижения на восток немецко-фашистских войск проводит Ельнинскую операцию. В Великой Отечественной войне она стала для Красной Армии первым сравнительно большим наступательным успехом.

...Шел второй месяц войны, а широко разрекламированное обещание Гитлера уничтожить в кратчайший срок Красную Армию, захватить Москву и выйти на Волгу сорвалось. Немецкие войска повсюду несли колоссальные потери. Общий фронт противника значительно расширился. Оперативная плотность войск стала резко снижаться, и теперь их уже не хватало для одновременного наступления на всех стратегических направлениях.

Это отнюдь не означало, что опасность для страны в какой-то мере ослабла. Нет, враг продолжал рваться вперед и одерживать успехи. Борьба обострялась на всех участках советско-германского фронта.

Исход Смоленского сражения имел важное значение для последующего хода войны. Хотя сам город Смоленск 16 июля оказался в руках противника, все же оборона армий Западного фронта не была сломлена и преграждала путь к столице. Среди гитлеровских офицеров, генералов и даже солдат, привыкших к легким победам на Западе, начали появляться сомнения и разочарования.

Что же касается морального состояния наших войск, то оно продолжало неуклонно повышаться.

На московском и киевском направлениях противник понес большие потери, но пока это еще не свидетельствовало о его слабости. Бронетанковые соединения, авиация, да и пехота были вполне способны массированными действиями наносить нашим войскам тяжелые удары. Но теперь он вынужден был это делать с большей осторожностью и не на всех стратегических направлениях.

Задача Ставки состояла на этом этапе в том, чтобы не проглядеть подготовку и направление важнейших ударов противника и маневру гитлеровцев противопоставить свой маневр.

Обсудив сложившуюся на фронтах обстановку с начальником оперативного управления Генштаба генералом В. М. Злобиным, его заместителем генералом А. М. Василевским и другими руководящими работниками, мы пришли к общему выводу, что противник, пожалуй, не рискнет в ближайшее время наступать на Москву. Он не был готов к этой операции, так как не располагал ни необходимым количеством ударных войск, ни их должным качеством.

Кроме того, опасное оперативное положение флангов группы армий «Центр», в котором они очутились, не могло не влиять на ход событий. Дело в том, что захваченная врагом территория тянулась длинной косой линией от Ельни на Рогачев и Жлобин, где располагался наш недавно созданный Центральный фронт. Правда, как уже сказано выше, он был еще слабым, имел всего лишь две армии (13-ю и 21-ю), но своим южным флангом примыкал к войскам Юго-Западного фронта, оборонявшим район Киева и подступы к нему.

Занимая столь опасное для группы армий «Центр» положение, наш Центральный фронт мог быть использован для ударов во фланг и тыл этой вражеской группировки.

К югу от Киева противник всюду рвался к Днепру, но форсировать его пока не смог. Основная группировка противника стремилась овладеть районом Кременчуга.

Мы внимательно рассмотрели многие варианты возможных действий войск противника на данном участке фронта и пришли, на наш взгляд, к единственно правильному выводу. Суть его состояла в том, что гитлеровское командование, видимо, не решится оставить без внимания опасный для группы армий «Центр» участок – правое крыло фронта – и будет стремиться в ближайшее время разгромить наш Центральный фронт.

Если это произойдет, то немецкие войска получат возможность выйти во фланг и тыл нашему Юго-Западному фронту, разгромят его и, захватив Киев, обретут свободу действий на Левобережной Украине. Поэтому только после того, как будет ликвидирована угроза для них на фланге центральной группировки со стороны юго-

западного направления, гитлеровцы смогут начать наступление на Москву.

29 июля Георгий позвонил Сталину и просил принять для срочного доклада.

– Приходите, – сказали ему.

Захватив с собой карту стратегической обстановки, карту с группировкой немецких войск, справки о состоянии наших войск и материально-технических запасов фронтов и центра, Георгий прошел в приемную Сталина, где находился Поскребышев, и попросил его доложить обо мне.

– Садись. Приказано подождать Маленкова и Мехлиса. Минут через десять все были в сборе и меня пригласили к Сталину.

– Ну, докладывайте, что у вас, – сказал Сталин.

Разложив на столе свои карты, Георгий подробно доложил обстановку, начиная с северо-западного и кончая юго-западным направлением. Привел цифры основных потерь по нашим фронтам и ход формирования резервов. Подробно показал расположение войск противника, рассказал о группировках немецких войск и изложил предположительный характер их ближайших действий.

Сталин слушал внимательно. Он перестал шагать вдоль кабинета, подошел к столу и, слегка наклонившись, стал внимательно разглядывать карты, до мельчайших обозначений на них.

– Откуда вам известно, как будут действовать немецкие войска? – резко и неожиданно бросил реплику Мехлис.

– Мне неизвестны планы, по которым будут действовать немецкие войска, – ответил Георгий, – но, исходя из анализа обстановки, они могут действовать только так, а не иначе. Наши предположения основаны на анализе состояния и дислокации крупных группировок, и прежде всего бронетанковых и моторизованных войск.

– Продолжайте доклад, – кивнул Сталин.

– На московском стратегическом направлении немцы в ближайшее время, видимо, не смогут вести крупную наступательную операцию, так как они понесли слишком большие потери. Сейчас у них здесь нет крупных резервов, чтобы пополнить свои армии и обеспечить правый и левый фланги группы армий «Центр». На Украине, как мы полагаем, основные события могут разыграться где-то в районе Днепропетровска, Кременчуга, куда вышли главные силы бронетанковых войск противника группы армий «Юг». Наиболее слабым и опасным участком обороны наших войск является Центральный фронт. Наши 13-я и 21-я армии, прикрывающие направление на Унечу – Гомель, очень малочисленны и технически слабы. Немцы могут воспользоваться этим слабым местом и ударить во фланг и тыл войскам Юго-Западного фронта, удерживающим район Киева.

– Что вы предлагаете? – насторожился Сталин.

Прежде всего, укрепить Центральный фронт, передав ему не менее трех армий, усиленных артиллерией. Одну армию получить за счет западного направления, другую – за счет Юго-Западного фронта, третью – из резерва Ставки. Поставить во главе фронта опытного и энергичного командующего. Конкретно предлагаю Ватутина.

– Вы что же, – спросил И. В. Сталин, – считаете возможным ослабить направление на Москву?

– Нет, не считаю. Но противник, по нашему мнению, здесь пока вперед не двинется, а через 12–15 дней мы можем перебросить с Дальнего Востока не менее восьми вполне боеспособных дивизий, в том числе одну танковую. Такая группа войск не ослабит, а усилит московское направление.

– А Дальний Восток отдадим японцам? – съязвил Мехлис.

Георгий не ответил и продолжал:

– Юго-Западный фронт уже сейчас необходимо целиком отвести за Днепр. За стыком Центрального и Юго-Западного фронтов сосредоточить резервы не менее пяти усиленных дивизий.

– А как же Киев? – в упор смотря на Георгия, спросил Сталин.

Георгий понимал, что означали два слова «сдать Киев» для всех советских людей и, конечно, для Сталина. Но он не мог поддаваться чувствам, а как начальник Генерального штаба обязан был предложить единственно возможное и правильное, по мнению Генштаба, стратегическое решение в сложившейся обстановке.

– Киев придется оставить, – твердо сказал Георгий.

Наступило тяжелое молчание... Затем Георгий продолжал доклад, стараясь быть спокойнее.

– На западном направлении нужно немедля организовать контрудар с целью ликвидации ельнинского выступа. Ельнинский плацдарм гитлеровцы могут позднее использовать для наступления на Москву.

– Какие там еще контрудары, что за чепуха? – вспылил Сталин. – Опыт показал, что наши войска не умеют наступать... – И вдруг на высоких тонах бросил: – Как вы могли додуматься сдать врагу Киев?

Георгий не мог сдержаться и ответил:

– Если вы считаете, что я, как начальник Генерального штаба, способен только чепуху молоть, тогда мне здесь делать нечего. Я прошу освободить меня от обязанностей начальника Генерального штаба и послать на фронт. Там я, видимо, принесу больше пользы Родине.

Опять наступила тягостная пауза.

– Вы не горячитесь, – наконец произнес Сталин. – А впрочем... мы без Ленина обошлись, а без вас тем более обойдемся...

– Я человек военный и готов выполнить любое решение Ставки, но имею твердую точку зрения на обстановку и способы ведения войны, убежден в ее правильности и доложил так, как думаю сам и Генеральный штаб.

Сталин не перебивал Георгия, но слушал уже без гнева и заметил в более спокойном тоне:

– Идите работайте, мы тут посоветуемся и тогда вас вызовем.

Собрав карты, Георгий послушно вышел из кабинета с тяжелым чувством собственного бессилия. Примерно через полчаса его пригласили к Верховному.

– Вот что, – сказал Сталин, – мы посоветовались и решили освободить вас от обязанностей начальника Генерального штаба. На это место назначим Шапошникова. Правда, у него со здоровьем не все в порядке, но ничего, мы ему поможем. А вас используем на практической работе. У вас большой опыт командования войсками в боевой обстановке. В действующей армии вы принесете несомненную пользу. Разумеется, вы остаетесь заместителем наркома обороны и членом Ставки.

– Куда прикажете мне отправиться?

– А куда бы вы хотели?

– Могу выполнять любую работу. Могу командовать дивизией, корпусом, армией, фронтом.

– Не горячитесь, не горячитесь. Вы вот тут докладывали об организации контрудара под Ельней. Ну и возьмитесь за это дело. – Затем, чуть помедлив, Сталин добавил: – Действия резервных армий на ржевско-вяземской линии обороны надо объединить. Мы назначим вас командующим Резервным фронтом. Когда вы можете выехать?

– Через час.

– Шапошников скоро прибудет в Генштаб. Сдайте ему дела и выезжайте.

– Разрешите отбыть?

– Садитесь и выпейте с нами чаю, – уже улыбаясь, сказал Сталин, – мы еще кое о чем поговорим.

Сели за стол и стали пить чай, но разговор так и не получился.

На следующий день состоялся приказ Ставки.

Сборы на фронт были недолгими. Вскоре в Генштаб прибыл Шапошников. После сдачи ему обязанностей начальника Генерального штаба Геогрий выехал в район Гжатска, где располагался штаб Резервного фронта.

В штабе фронта задержался недолго. Георгию доложили о боевых действиях фронта и данные о противнике. Особенно тщательно были разобраны условия, влиявшие на подготовку и проведение предстоящей операции с целью ликвидации здесь группировки противника. В тот же день он отправился в штаб 24-й армии. Войска ее вели перестрелку с противником. Ехали при мрачном отблеске пожаров, полыхавших где-то под Ярцевом, Ельней и западнее Вязьмы.

Что горело, никто не знал, но вид пожарищ создавал тяжкое впечатление. Гибло в огне народное добро – результат многолетнего труда советских людей. Георгий задумался: «Как и чем должен ответить врагу наш народ за беды, которые фашисты сеют на своем кровавом пути? Мечом и только мечом, беспощадно уничтожая злобного врага».

12 августа Георгий допрашивал пленного Миттермана. Ему было всего девятнадцать лет. Отец его являлся членом партии нацистов, а сам он состоял в «Югендфольке». Вместе со своей дивизией он участвовал в походах во Францию, Бельгию, Голландию и Югославию.

– Большинство солдат дивизии в возрасте девятнадцати-двадцати лет, – говорил Миттерман. – Комплектовалось соединение по особому персональному отбору. Дивизия прибыла в район Ельни вслед за 10-й танковой дивизией.

Район Ельни пленный характеризовал как передовую линию для дальнейшего движения в глубь Советского Союза. Задержку в течение трех недель и переход в районе Ельни к обороне он понимал как выигрыш во времени, в течение которого немецкое командование подбросит к фронту необходимые резервы и пополнение.

– Наш полк «Дойчланд» занимал оборону в районе Ельни, – продолжал пленный. – Он был выведен на отдых и потом снова брошен на передовые позиции в связи с большими потерями в частях и неудачными оборонительными действиями. Потери в полках настолько значительны, что в стрелковые подразделения зачислены тыловики. Наибольшие потери немецкие войска несут от советской артиллерии. Русская артиллерия сильно бьет. Ее огонь на немецкого солдата действует угнетающе.

Из разъяснительного приказа своего командования о партизанском движении в занятых немецкими войсками районах Миттерман знал, что в лесах находится немало советских воинских частей и гражданских лиц, которые внезапно нападают из засады, ведут губительный огонь по их войскам и нарушают коммуникации немецкого тыла.

В конце допроса пленный сказал, что командование его дивизии вплоть до командиров полков сменено в связи с потерями и неудачами в последних действиях под Ельней...

Ставка торопила Георгия с подготовкой наступления на немецкую армию. В середине августа войска Резервного фронта частью сил перешли в наступление, добились некоторых территориальных успехов и нанесли врагу ощутимые потери. Противник был вынужден отвести две свои сильно потрепанные танковые дивизии, моторизованную дивизию и моторизованную бригаду, заменив их пехотными соединениями.

Позднее стало известно, что, ссылаясь на тяжелые потери, командование группы армий «Центр» просило Гитлера разрешить оставить ельнинский выступ. Но гитлеровское руководство эту просьбу отклонило: район Ельни рассматривался как выгодный плацдарм для нанесения удара в дальнейшем наступлении на Москву.

Бои под Ельней дали нашим войскам много полезного и поучительного для правильного понимания оборонительной тактики врага. Было установлено, что немецко-фашистские части строят оборону прежде всего вокруг населенных пунктов, превращая их в мощные опорные пункты. Система опорных пунктов располагалась в основном на переднем крае обороны. В то же время гитлеровцы недостаточно развивали оборону в глубине. Каждый опорный пункт имел обстрел во многих направлениях и был приспособлен к круговой обороне. Подобная система придавала каждому отдельному объекту большую самостоятельность и должна была, по замыслу немцев, повысить устойчивость обороны в целом. Потеря одного такого опорного пункта восполнялась за счет привлечения огневых средств соседних с ним объектов и участков.

Отсюда следовало, что, наступая на опорный пункт, армия должна была прочно обеспечивать свои фланги и надежно подавлять огневые средства смежных опорных пунктов противника. Иначе наступающие войска рисковали оказаться в огневом мешке.

Такой случай был. При атаке одного из рубежей на подступах к Ельне стрелковый полк, в котором был и Георгий, овладел деревней Выдрино, где находился опорный пункт врага. Соседи несколько отстали, и поэтому ближайшая к деревне местность на флангах атакующего полка не была полностью очищена от противника. Это немедленно сказалось на положении полка. Воспользовавшись создавшейся ситуацией, неприятель сосредоточил весь огонь минометов из соседних опорных пунктов по деревне. Наступление задержалось.

Однако командир полка не растерялся. Он связался с поддерживающей артиллерией и поставил перед ней задачу – подавить опорные пункты немцев, мешающие его части двигаться вперед. Только после того как эта задача была выполнена, полк смог продолжать наступление.

Армии все же удалось выявить и слабые стороны противника. Контратаки показали неустойчивость немецко-фашистской пехоты. Неся огромные потери от огня советской артиллерии, немецкие солдаты, как правило, не вели прицельного огня. Они поспешно укрывались в окопы и, ведя оттуда беспорядочную стрельбу, стремились воздействовать на психику наступающих. Потерь же наносили относительно немного. Скоро наши воины перестали обращать внимание на этот искусственный шум и успешно громили противника.

Благодаря принятым мерам по улучшению разведки командование и штаб фронта вскоре стали располагать полными данными о противнике, его огневой и инженерной системах. Эти сведения, а также показания многих пленных дали армии возможность тщательно, во всех деталях отработать план артиллерийского огня, авиационного удара и поставить конкретные задачи частям и соединениям на полный разгром здесь противника.

Несмотря на всю остроту боевых событий в районе Ельни и большую занятость в связи с подготовкой предстоящей здесь наступательной операции, Георгий все время мысленно возвращался к разговору, который произошел в Ставке со Сталиным. Правильный ли стратегический прогноз он сделал тогда в Генштабе?

В ожесточенных боях с гитлеровцами советские бойцы, командиры и политработники показали образцы боевой доблести. Отвагу, мужество и организованность проявила 100-я стрелковая дивизия под командованием генерал-майора И. Н. Руссиянова.

Генерала Руссиянова Георгий хорошо знал. В 1933 году они вместе работали в Слуцком гарнизоне в Белоруссии. В то время он командовал стрелковым полком. Это был очень способный командир, и полк его всегда был в первых рядах.

Советским стрелковым дивизиям удалось побить врага и погнать перед собой хваленые немецкие войска, потому что при наступлении они шли вперед не вслепую, не очертя голову, а лишь после тщательной разведки, после серьезной подготовки, после того, как они прощупали слабые места противника и обеспечили охранение своих флангов. При прорыве фронта противника они не ограничивались движением вперед, а старались расширять прорыв своими действиями по ближайшим тылам противника, направо и налево от места прорыва. Захватив у противника территорию, они закрепляли за собой захваченное, окапывались на новом месте, организуя крепкое охранение на ночь и высылая вперед серьезную разведку для нового прощупывания отступающего противника. Занимая оборонительную позицию, они осуществляли ее не как пассивную оборону, а как оборону активную... Они не дожидались того момента, когда противник ударит их и оттеснит назад, а сами переходили в контратаки, чтобы прощупывать слабые места противника, улучшить свои позиции и вместе с тем закалить свои полки в процессе контратак для подготовки их к наступлению. При нажиме со стороны противника эти дивизии организованно отвечали ударом на удар противника.

Командиры и комиссары в этих дивизиях вели себя как мужественные и требовательные начальники, умеющие заставить своих подчиненных выполнять приказы и не боящиеся наказывать нарушителей приказов и дисциплины».

Впоследствии, равняясь на «первогвардейцев», в рядах Красной Армии выросла многочисленная советская гвардия. Это была качественно новая, истинно народная гвардия. Она впитала в себя лучшие национальные традиции всех наших народов.

Под знаменами советской гвардии сражались и многие воины-интернационалисты: испанец Рубен Ибаррури (сын Долорес Ибаррури), чех Отакар Ярош и другие.

Геройски дрались под Ельней части 107-й стрелковой дивизии полковника П. В. Миронова. Еще в мирное время за успехи в боевой и политической подготовке дивизия была награждена переходящим Красным знаменем. Эту высокую награду воины с честью оправдали на полях сражений. Ими было уничтожено до пяти полков немецко-фашистской пехоты, в том числе «Фюрер» дивизии СС «Рейх».

Георгию довелось лично видеть с наблюдательного пункта командира дивизии ожесточенный бой 586-го стрелкового полка этой дивизии, которым командовал подполковник И. М. Некрасов.

Пользуясь наступившей темнотой и тем, что горловина была еще не закрыта, остатки войск противника отступили из района Ельни, оставив на поле боя множество убитых, раненых и большое количество разбитых танков и тяжелых орудий. Всего за период боев в районе Ельни было разгромлено до пяти дивизий, противник потерял убитыми и ранеными 45–47 тысяч человек. Врагу дорого обошлось стремление удержать ельнинский выступ.

Утром 6 сентября в Ельню вошли наши войска. Вскоре в городе появились жители, скрывавшиеся от фашистов.

Георгий кратко доложил И. В. Сталину ход сражений и общие итоги Ельнинской операции. Рассказал о доблестных соединениях, частях и их командирах, о потерях фашистских войск. По показаниям пленных, в некоторых частях минометов и артиллерии не осталось совершенно. Танки и авиацию в последнее время противник применял отдельными группами и только для отражения наших атак на важнейших участках. Видимо, эти средства он перебросил на другие направления.

Очень хорошо действовала наша артиллерия даже во вновь сформированных дивизиях. Реактивные снаряды своими действиями производили сплошное опустошение. Георгий осмотрел районы, по которым велся обстрел, и увидел полное уничтожение оборонительных сооружений. Ушаково – главный узел обороны противника – в результате залпов реактивных снарядов было совершенно разрушено, а убежища завалены и разбиты.

Преследуя противника, 7 сентября части вышли на реку Стряну, форсировали ее и получили задачу развивать наступление, взаимодействуя с группой войск Западного фронта генерала П. П. Собенникова.

В результате успешно проведенной операции по разгрому ельнинской группировки противника в войсках фронта поднялось настроение, укрепилась вера в победу. Части увереннее встречали атаки противника, били его огнем и дружно переходили в контратаки. И хотя завершить окружение противника и взять в плен ельнинскую группировку не удалось (для этого тогда не было достаточного количества сил, и в первую очередь танков), но обстановка к 8 сентября сложилась в пользу армии: опасный вражеский ельнинский выступ на левом фланге 24-й армии был ликвидирован.

Не везде, конечно, все проходило гладко. Стрелковая дивизия 43-й армии, получив задачу захватить плацдарм на западном берегу реки Стряны, не обеспечила свой левый фланг после форсирования реки и без должной разведки стремительно двинулась вперед. Молодой, еще недостаточно опытный командир этого соединения допустил большой промах, не приняв нужных мер боевого обеспечения. Этой ошибкой немедленно воспользовался противник. Танковой контратакой он смял боевые порядки дивизии. Советские воины сражались стойко, они умело отражали удары врага, нанося ему значительный урон. Особенно ощутимые потери понесли танковые части противника от нашей противотанковой и дивизионной артиллерии.

Контратака гитлеровцев была отбита, но и части, в которой был Геогрий, пришлось на этом участке остановить наступление. Такова была расплата за необдуманные действия командира этой дивизии. Почти до самого вечера 9 сентября пришлось Георгию вместе с командиром находиться на его наблюдательном пункте, исправляя допущенную оплошность.

Сталин вызвал Георгия к себе. В Кремль въезжали в полной темноте. Вдруг резкий свет карманного фонарика ударил Георгию в лицо. Машина остановилась. В подошедшем военном я узнал начальника управления охраны генерала Власика. Поздоровались.

– Верховный Главнокомандующий приказал встретить и проводить вас к нему на квартиру.

Георгий вышел из машины и направился за генералом.

Расспрашивать не стал, зная, что ответа на интересующие его вопросы все равно не получит. Войдя в столовую, где за столом сидели Сталин, Молотов, Щербаков, Маленков и другие члены Политбюро. Георгий сказал:

– Товарищ Сталин, я опоздал на один час.

Сталин посмотрел на свои часы и проговорил:

– На час и пять минут. – И добавил: – Садитесь и, если голодны, подкрепитесь.

Верховный Главнокомандующий внимательно рассматривал карту обстановки под Ленинградом. Присутствующие сидели молча. Есть Жуков не стал и тоже молчал. Наконец Сталин оторвался от карты и, обращаясь к нему, заметил:

– Неплохо получилось у вас с ельнинским выступом. Вы были тогда правы. – Затем Верховный сказал: – Мы еще раз обсудили положение с Ленинградом. Противник захватил Шлиссельбург, а 8 сентября разбомбил Бадаевские продовольственные склады. Погибли большие запасы продовольствия. С Ленинградом по сухопутью у нас связи теперь нет. Население оказалось в тяжелом положении. Финские войска наступают с севера на Карельском перешейке, а немецко-фашистские войска группы армий «Север», усиленные 4-й танковой группой, рвутся в город с юга.

Верховный замолчал и вновь обратился к карте.

Кто-то из членов ГКО заметил:

– Мы здесь докладывали товарищу Сталину, что командование Ленинградского фронта едва ли сумеет выправить положение.

Сталин осуждающе посмотрел на говорившего, но продолжал молчать, устремив свой взор на карту. Неожиданно он спросил:

– А как вы, товарищ Жуков, расцениваете обстановку на московском направлении?

Георгий понял его и уловил мысль, связывающую воедино положение на разных фронтах, однако ответил не сразу.

– Думаю, что немцам в настоящее время необходимо основательно пополнить свои части. По данным пленных, захваченных из войск группы армий «Центр», противник имеет очень большие потери. В некоторых частях они достигают пятидесяти процентов. Кроме того, не завершив операцию под Ленинградом и не соединившись с финскими войсками, немцы едва ли начнут наступление на московском направлении... Но это, конечно, мое личное мнение. У гитлеровского командования могут быть иные расчеты, иные соображения. Во всяком случае, нам нужно быть всегда готовыми к упорным оборонительным действиям на московском направлении.

Сталин удовлетворенно кивнул, затем без перехода спросил:

– Ну, как действовали части 24-й армии?

– Дрались, товарищ Сталин, хорошо, – ответил он, – особенно 100-, 127-, 153- и 161-я стрелковые дивизии.

– А чем вы, товарищ Жуков, объясняете успех этих дивизий и как оцениваете способности командно-политического состава армии?

Георгий высказал свои соображения. Минут пятнадцать Сталин внимательно слушал и что-то коротко заносил в свою записную книжку, затем воскликнул:

– Молодцы! Это именно то, что нам теперь так нужно. – Затем, без всякого перехода, вдруг добавил: – Вам придется лететь в Ленинград и принять от Ворошилова командование фронтом и Балтфлотом.

Предложение это явилось для Георгия полной неожиданностью, тем не менее он ответил, что готов выполнить это задание.

– Ну, вот и хорошо, – заключил Сталин. – Имейте в виду, – продолжал он, – в Ленинграде вам придется перелетать через линию фронта или через Ладожское озеро, которое контролируется немецкой авиацией.

Затем Верховный молча взял со стола блокнот и размашистым твердым почерком что-то написал. Сложив листок, он подал его Георгию:

– Лично вручите товарищу Ворошилову эту записку.

В записке значилось: «Передайте командование фронтом Жукову, а сами немедленно вылетайте в Москву».

Перед тем как уйти, Георгий обратился к Верховному с просьбой разрешить взять с собой двух-трех генералов, которые могут быть полезны на месте.

– Берите, кого хотите, – ответил Сталин. Затем, немного помолчав, он сказал: – Плохо складываются дела у Буденного на юго-западном направлении. Мы решили заменить его. Кого, по вашему мнению, следует туда послать?

– Маршал Тимошенко за последнее время получил большую практику в организации боевых действий, да и Украину он знает хорошо. Рекомендую послать его, – ответил я.

– Пожалуй, вы правы. А кому поручим вместо Тимошенко командовать Западным фронтом?

– Командующему 19-й армией генерал-лейтенанту Коневу.

Сталин согласился и с этим. Тут же по телефону он дал указание Шапошникову о вызове маршала Тимошенко и передаче приказа Коневу о вступлении в командование Западным фронтом.

Георгий собирался уже проститься, когда Сталин спросил:

– Как вы расцениваете дальнейшие планы и возможности противника?

Так Жуков получил еще одну возможность привлечь особое внимание Ставки к опасному положению на Украине.

– В настоящий момент, кроме Ленинграда, самым опасным участком для нас является Юго-Западный фронт, – сказал Георгий. – Считаю, что в ближайшие дни там может сложиться тяжелая обстановка. Группа армий «Центр», вышедшая в район Чернигов – Новгород-Северский, может смять 21-ю армию и прорваться в тыл Юго-Западного фронта. Уверен, что группа армий «Юг», захватившая плацдарм в районе Кременчуга, будет осуществлять оперативное взаимодействие с армией Гудериана. Над Юго-Западным фронтом нависает серьезная угроза. Еще раз рекомендую немедленно отвести всю киевскую группу на восточный берег Днепра и за ее счет создать резервы где-то в районе Конотопа.

— А как же Киев?

— Как это ни тяжело, товарищ Сталин, а Киев придется оставить. Иного выхода у нас нет.

Сталин снял трубку и позвонил Шапошникову.

— Что будем делать с киевской группировкой? — спросил он. — Жуков настойчиво рекомендует немедленно отвести ее.

Георгий не слышал, что ответил Борис Михайлович, но в заключение Сталин ему сказал:

— Завтра здесь будет Тимошенко. Продумайте с ним этот вопрос, а вечером переговорим с военным советом фронта.

Прошло несколько дней. Прощаясь перед отлетом Георгия в Ленинград, Верховный сказал:

– Мы на вас надеемся. Приказ Ставки о вашем назначении будет отдан, когда прибудете в Ленинград.

Георгий понял, что за этими словами скрывается опасение за успех нашего перелета. Он зашел к Василевскому. Тот сказал:

– Думаю, что мы уже крепко опоздали с отводом войск за Днепр...

Зайдя к Шапошникову, Георгий договорился с ним о личной связи по сохранившимся проводам и по радио и спросил его мнение о сложившейся обстановке и прогнозах на ближайшее время. Он охотно поделился своими соображениями.

В отношении Ленинграда Шапошников был настроен оптимистически.

Так прошли первые, крайне тяжелые два с половиной месяца войны. Потери советской армии были очень велики. Только за первый день войны авиация приграничных округов потеряла около 1200 самолетов. Танковые и моторизованные соединения противника, поддерживаемые крупными силами авиации, продолжали двигаться вперед, прорывались на стыках наших войск, наносили удары по флангам группировок, разрушали узлы и линии связи. Гибли десятки тысяч советских воинов, мирных граждан...

И в то же время с самого начала все происходило не так, как было запланировано немецким главным командованием. Историкам еще предстоит рассмотреть, как последовательно, при общем вроде бы и благополучном победном фоне для фашистов, срывались одно за другим намерения гитлеровского руководства. Все это имело далеко идущие последствия.

Обо что же споткнулись фашистские войска, сделав свой первый шаг на территорию чужой им страны? Что же прежде всего помешало им продвигаться вперед привычными темпами? Можно твердо сказать – главным образом массовый героизм русских войск, их ожесточенное сопротивление, упорство, величайший патриотизм армии и народа.

История знает немало примеров, когда, побросав превосходное оружие, войска быстро теряют сопротивляемость, попросту говоря, обращаются в бегство. Никто не может провести четкую грань между ролью собственно оружия, военной техники и значением морального духа войск. Однако бесспорно, что при прочих равных условиях крупнейшие битвы и целые войны выигрывают те войска, которые отличаются железной волей к победе, осознанностью цели, стойкостью духа и преданностью знамени, под которым они идут в бой.

Конечно, еще многое было впереди. Советский народ понимал, что предстояла длительная борьба и что фашистская Германия будет бросать на Восточный фронт новые и новые силы, пока не израсходует их без остатка. Но пусть увидит читатель, как при первых же оперативно-тактических неудачах на Восточном фронте победный тон немцев начинает постепенно затухать, сменяться удивлением и разочарованием.

Георгий осмысливал роль командующего и намного позже понял, что действительно нужно для того, чтобы справиться с грузом задач, которые на него возложили; убедился в том, что в борьбе побеждает тот, кто лучше подготовил вверенные ему войска в политико-моральном отношении, кто сумел более четко довести до сознания войск цель войны и предстоящей операции и поднять боевой дух войск, кто стремится к боевой доблести, кто не боится драться в неблагоприятных условиях, кто верит в своих подчиненных.

Пожалуй, одно из самых важных условий успеха проведения боя или операции – своевременное выявление слабых сторон войск и командования противника. Опрашивая пленных, Георгий вдруг осознал, что немецкое командование и войска действуют сугубо по шаблону, без творческой инициативы, лишь слепо выполняя приказ. Поэтому, как только менялась обстановка, немцы терялись, проявляли себя крайне пассивно, ожидая приказа высшего начальника, который в создавшейся боевой обстановке не всегда мог быть своевременно получен.

Наблюдая за ходом боя и действиями войск, Георгий убедился, что там, где советские войска не просто оборонялись, а при первой возможности днем и ночью контратаковали противника, они почти всегда имели успех, особенно ночью. В ночных условиях немцы действовали крайне неуверенно и плохо.

Из практики проведения первых операций он сделал вывод, что чаще всего неудачи постигали тех командующих, которые лично не бывали на местности, где предстояло действовать войскам, а ограничивались изучением ее по карте и отдачей письменных приказов. Командиры, которым предстоит выполнение боевых задач, должны непременно хорошо знать местность и боевые порядки противника, с тем чтобы использовать слабые стороны в его дислокации и направлять туда главный удар.

Особенно отрицательно сказывается на ходе операции или боя поспешность принятия военачальниками решений без детальной перепроверки полученных сведений и учета личных качеств тех, кто докладывает обстановку, военных знаний, опыта, выдержки и хладнокровия.

Большое значение для победы в любом масштабе имеют хорошо отработанные на местности (или в крайнем случае на ящике с песком) взаимодействия всех видов и родов войск как в оперативных объединениях, так и в тактических соединениях...

В личной жизни Георгий счастлив не был. Он понимал, что его чувства к Александре уже давно остыли, хоть их и связывало двое детей. Зуйкова с возрастом становилась все более нервной; она много кричала, критиковала Георгия, и ему казалось, что, приходя домой, он попадал в настоящий ад.

С детьми Георгий общался мало, но это не было его виной.

И конечно, он не вел пуританский образ жизни. У него были связи на стороне, но ни одна из них не приносила ему удовлетворения.

Во время войны многое изменилось.

В 1941 году шли ожесточенные бои под Москвой. Сколько бы воодушевляющими не были победы над немцами, именно здесь гитлеровская армия потерпела первое серьезное поражение.

А для Георгия этот период был очень важен и по другой причине. Именно здесь, под Москвой, он познакомился с Лидией Захаровой. Он была старшим лейтенантом, а по должности – медсестрой. Дело в том, что после ранения Георгий уже не был так силен, как в молодости. Здоровье его было подорвано, и иногда у него случались приступы. Поэтому к нему приставили личную медсестру. Это и была Лида. Стройная, красивая, худенькая, она была для Георгия солнечным лучиком.

Георгий очень крепко к ней привязался и, несмотря на свой крутой нрав, относился к девушке очень душевно, берег ее, да и она не отходила от него ни на шаг, во всем ему помогала. Даже когда шел он на передовую, она следовала за ним. Застенчивая, стыдливая, Лидочка не терпела грубостей, а Георгий иногда до слез ее доводил своими солдатскими выражениями, хотя и, не скрывая этого, любил ее и старался беречь.

Лидия стала для Георгия фронтовой женой, настоящей боевой подругой. ППЖ в годы войны были не только у крупных военачальников, но и у многих командиров полков. Некоторые из них потом так и не расстались с фронтовыми подругами, бросив законных жен. Так поступил, к примеру, маршал Иван Конев, превратив свою ППЖ Тонечку в законную супругу. Однако большинство командиров с окончанием войны с фронтовыми подругами расстались.

* * *

Война подошла к концу, Красная Армия победила. Последний бой состоялся в Берлине, он был ожесточенным, но с врагом было полностью покончено. Остатки берлинского гарнизона сдались в плен. Многие из тех, кто дрался с оружием в руках, видимо, в последние дни разбежались и попрятались.

Это был день великого торжества советского народа, его вооруженных сил, наших союзников в этой войне и народов всего мира.

В приказе Верховного Главнокомандующего говорилось:

«Войска 1-го Белорусского фронта при содействии войск 1-го Украинского фронта после упорных уличных боев завершили разгром берлинской группы немецких войск и сегодня, 1 мая, полностью овладели столицей Германии городом Берлином – центром немецкого империализма и очагом немецкой агрессии».

После захвата имперской канцелярии Георгий поехал туда с генерал-полковником Берзариным, чтобы убедиться в самоубийстве Гитлера, Геббельса и других руководителей гитлеровцев.

Прибыв на место, Георгий оказался в затруднительном положении. Ему доложили, что все трупы немцы якобы закопали в местах захоронения, а где и кто закопал — толком никто не знал. Высказывались разные версии, порой противоречивые.

Захваченные пленные, главным образом раненые, о Гитлере и его окружении ничего не могли сказать.

Людей в имперской канцелярии обнаружили мало, всего несколько десятков человек. Видимо, находившиеся там руководящие офицеры и эсэсовцы в самый последний момент бежали через потайные выходы из здания имперской канцелярии и попрятались в городе.

Георгий искал место сожжения трупов Гитлера и Геббельса, но так и не нашел. Правда, остались потухшие очаги от каких-то костров, но они были малы: скорее всего там кипятили воду немецкие солдаты.

Георгий уже заканчивали осмотр имперской канцелярии, когда ему доложили, что в подземелье обнаружены трупы шестерых детей Геббельса. У Георгия не хватило духу спуститься туда и посмотреть на детей, умерщвленных матерью и отцом. На другой день недалеко от бункера были обнаружены трупы Геббельса и его жены. Для опознания был привлечен доктор, который подтвердил, что это именно они.

Из-за сложившихся обстоятельств Георгий поначалу сильно сомневался в том, что Гитлер действительно покончил с собой. Может, он успел удрать в самый последний момент, надеясь получить помощь извне?

Однако вскоре появилось подтверждение смерти Гитлера. Большинство фашистских главарей, в том числе Геринг, Гиммлер, Кейтель и Йодль, заблаговременно бежали из Берлина в разных направлениях. До последней минуты они вместе с Гитлером, как азартные игроки, не теряли надежды на «счастливую карту», которая может спасти фашистскую Германию и их самих. 30 апреля и даже 1 мая гитлеровские заправилы все еще пытались оттянуть время окончательного краха, затеяв переговоры о вызове в Берлин новоявленного правительства Дёница якобы для решения о капитуляции Германии.

Генерал Кребс, опытный военный дипломат, всеми способами пытался втянуть в длительные переговоры генерала Чуйкова, но эта хитрость не удалась. Соколовский, который был уполномочен вести переговоры, категорически заявил Кребсу: прекращение военных действий возможно лишь при условии полной и безоговорочной капитуляции немецко-фашистских войск перед всеми союзниками. На этом переговоры закончились.

Так как немцы тогда не приняли наших требований о безоговорочной капитуляции, советским войскам был дан приказ: немедленно добить врага.

Утром 3 мая вместе с Берзариным, Боковым, Телегиным и другими военачальниками Георгий осмотрел рейхстаг и места боев в этом районе. Сопровождал их и давал пояснения сын Вильгельма Пика Артур Пик, воевавший во время войны в качестве офицера Красной Армии. Он хорошо знал Берлин, и это облегчило изучение условий, в которых пришлось драться нашим войскам.

Каждый шаг, каждый кусок земли, каждый камень здесь яснее всяких слов свидетельствовал, что на подступах к имперской канцелярии и рейхстагу, в самих этих зданиях борьба шла не на жизнь, а на смерть.

Рейхстаг – это громаднейшее здание, стены которого артиллерией средних калибров не пробьешь. Тут нужны были тяжелые калибры. Купол рейхстага и различные массивные верхние надстройки давали возможность врагу сосредоточить многослойный огонь на всех подступах. Условия для борьбы в самом рейхстаге были очень тяжелые и сложные. Они требовали от бойцов не только мужества, но и мгновенной ориентировки, зоркой осторожности, быстрых перемещений от укрытия к укрытию и метких выстрелов по врагу. Со всеми этими задачами наши бойцы хорошо справились, но многие в тяжелых боях пали смертью храбрых.

Колонны при входе в рейхстаг и стены были испещрены надписями наших воинов. В лаконичных фразах, в простых росписях солдат, офицеров и генералов чувствовалась их гордость за советских людей, за Советские Вооруженные Силы, за Родину и ленинскую партию, за то, что, преодолев неимоверные трудности, они пришли в логово фашизма, Берлин, и в трудных сражениях одержали победу.

Георгий со спутниками тоже поставили свои подписи, по которым присутствовавшие там солдаты узнали их и окружили плотным кольцом. Пришлось задержаться на часок и поговорить по душам. Было задано много вопросов. Солдаты спрашивали, когда можно будет вернуться домой, останутся ли войска для оккупации Германии, будем ли воевать с Японией и так далее.

Итак, закончилась кровопролитная война. Фашистская Германия и ее союзники были окончательно разгромлены.

Путь к победе для советского народа был тяжел. Он стоил миллионов жизней. И сегодня все честные люди мира, оглядываясь на прошлые страшные дни Второй мировой войны, обязаны с глубоким уважением и сочувствием вспомнить тех, кто боролся с нацизмом и отдал свою жизнь за освобождение от фашистского рабства своей Родины, за судьбу всего человечества.

Коммунистическая партия и Советское правительство, исходя из своего интернационального долга и гуманных убеждений, приняли все меры к тому, чтобы своевременно разъяснить советским воинам, кто является истинным виновником войны и совершенных злодеяний. Не допускалось и мысли о том, чтобы карать трудовой немецкий народ за те злодеяния, которые фашисты творили на нашей земле. В отношении немецких трудящихся советские люди имели ясную позицию: им необходимо помочь осознать свои ошибки, быстрее выкорчевать остатки нацизма и влиться в общую семью свободолюбивых народов, высшим девизом которых в будущем должны быть мир и демократия.

Приказ устанавливал порядок поведения населения и определял основные положения, необходимые для нормализации жизни в Берлине.

Центральная военная комендатура создала во всех двадцати районах Берлина районные военные комендатуры, которые были укомплектованы нашими офицерами, и в первую очередь специалистами-хозяйственниками и инженерно-техническим персоналом. В некоторых подрайонах были созданы участковые комендатуры. С первых же шагов своей работы советским военным комендатурам пришлось в весьма сложной обстановке решать многие трудные задачи.

В результате боев Берлин сильно пострадал. Из двухсот пятидесяти тысяч зданий города около тридцати тысяч было совершенно разрушено, более двадцати тысяч зданий находилось в полуразрушенном состоянии, более ста пятидесяти тысяч зданий имело средние повреждения.

Городской транспорт не работал. Более трети станций метро было затоплено и разрушено, множество мостов подорвано немецко-фашистскими войсками. Вагонный парк и силовая сеть городского трамвая почти целиком были выведены из строя. Улицы, особенно в центре, завалены обломками. Вся система коммунального хозяйства – электростанции, водокачки, газовые заводы, канализация прекратила свою работу.

Необходимо было спасти берлинское население от голодной смерти, организовать продовольственное снабжение, которое было прекращено до вступления в Берлин советских войск. Были установлены многочисленные факты, когда целые группы населения в течение нескольких недель не получали никакого продовольствия. Советские войска, расположенные в Берлине, начали тушить пожары, организовали уборку и захоронение трупов, производили разминирование.

Однако советское командование не могло решить все эти задачи без массового привлечения к активной работе местного населения.

Военные советы, военные коменданты, работники политических органов прежде всего привлекали к работе в районные магистраты немецких коммунистов, освобожденных из концлагерей, антифашистов и других немецких демократов, с которыми у нас сразу установилось дружеское взаимопонимание.

Так начали создаваться немецкие органы самоуправления – органы антифашистско-демократической коалиции. Примерно одну треть в них составляли коммунисты, которые действовали в товарищеском согласии с социал-демократами и лояльно настроенными специалистами.

В Берлине и его окрестностях еще шли бои, а советское командование на основании решений ЦК партии и Советского правительства уже приступило к организации нормальных жизненных условий для населения Берлина.

Военные коменданты назначаются в каждом городе. Исполнительная власть создается из местных жителей: в городах – бургомистры, в более мелких городах и селах – старосты, которые несут ответственность перед военным командованием за выполнение населением всех приказов и распоряжений. Таков был приказ Сталина.

Как-то, проезжая по окраинам Берлина, Георгий обратил внимание на необычно пеструю толпу, в которой находились наши солдаты. Там было много детей и женщин. Остановив машину, он подошел, полагая, что гражданские лица – это советские люди, освобожденные из фашистских лагерей. Но оказалось, что это жители Берлина. Георгий стоял, наблюдал и слушал, как один из солдат, держа на руках белокурого немецкого мальчугана лет четырех, говорит:

– Я потерял жену, маленькую дочку и сынишку, когда эвакуировалась семья из Конотопа. Погибли они в поезде от бомбежки. Война кончается, что же я буду жить как бобыль. Отдайте мне мальчугана. У него ведь эсэсовцы расстреляли мать и отца.

Кто-то пошутил:

– А парнишка-то похож на тебя...

Стоявшая рядом женщина сказала по-немецки:

– Нет, не могу отдать. Это мой племянник, буду растить сама.

Кто-то перевел. Солдат огорчился. Георгий решил вмешаться:

– Слушай, друг, вернешься на Родину, там найдешь себе сына – сколько у нас сирот осталось. Еще лучше – возьмешь ребенка вместе с матерью!

Солдаты расхохотались, улыбнулся и немецкий мальчуган. Бойцы, развязав свои сумки, тут же роздали детям и женщинам хлеб, сахар, консервы, сухари, а мальчуган, сидевший на руках солдата, получил еще и конфеты. Солдат расцеловал парнишку и тяжело вздохнул.

До чего же добрая душа у советского солдата, подумал Георгий и, подойдя к солдату, крепко пожал ему руку.

Георгий был без погон, в кожанке, но скоро его узнали, пришлось задержаться еще на полчаса и ответить на многие вопросы окружавших.

Берлин медленно восстанавливался. Военные комендатуры с помощью немецких коммунистов и демократов провели значительную работу по организации и развитию демократического устройства в городе.

13 мая уже начало работать радио. На следующий день руководством военной комендатуры вместе с директорами театров Густавом Грюндтеном, Эрнстом Легалем и Паулем Вегнером были обсуждены подготовительные мероприятия к открытию берлинских театров.

К середине июня в Берлине работало сто двадцать кинотеатров, в них демонстрировались советские художественные и документальные кинофильмы. Их с интересом смотрели десятки тысяч берлинцев.

Очень важным политическим и культурным мероприятием советских властей было издание для населения газеты советских оккупационных войск «Тэглихе рундшау» («Ежедневное обозрение») на немецком языке. Первый номер этой газеты вышел 15 мая, и она быстро завоевала популярность.

Газета должна была разъяснять немецкому народу внешнюю и внутреннюю политику нашей партии и Советского правительства, рассказывать правду о Советском Союзе, об интернациональной миссии Красной Армии. Подробно освещались мероприятия по восстановлению коммунального хозяйства и подъему культуры в Берлине, разоблачалась сущность фашизма. Немцев призывали напрячь все силы для скорейшего восстановления нормальной жизни в Берлине.

Через несколько дней начала издаваться газета «Берлинер цайтунг», орган берлинского магистрата.

В июне состоялось объединение берлинских демократических культурных сил. Был создан «Культурбунд» — культурный союз демократического обновления Германии.

В середине мая по указанию советской комендатуры и магистрата в большинстве районов возобновились школьные занятия. К концу июня уже шли уроки в школах, где обучалось тысячи детей. Было организовано множество детских домов.

С этого времени организованное сопротивление немецких войск в Чехословакии, Австрии и на юге Германии прекратилось. Немецкие войска поспешно отходили на запад, стремясь сдаться в плен американским войскам. Там, где советские войска преграждали им путь отхода, они пытались пробиться силой оружия, неся при этом большие потери. Командование американских войск, нарушив свои союзнические обязательства, не преградило немецко-фашистским войскам отход в их зону, а даже содействовало этому.

Те же явления имели место и на участках английских войск. Советское командование заявило протест союзникам, но из этого ничего не получилось, наши требования остались без ответа.

В расположение американских войск спешила отойти и дивизия власовцев, изменников Родины. В дивизии находился сам Власов. Однако ее отход был решительно пресечен 25-м танковым корпусом, которым командовал генерал-майор Фоминых. Было решено взять Власова в плен живым, чтобы воздать полностью за измену Родине. Выполнение этой задачи было возложено на командира 162-й танковой бригады полковника Мищенко, а непосредственный захват Власова поручен отряду под командованием капитана Якушева.

Власова захватили в легковой машине отходящей колонны. Спрятавшись под грудой вещей и укрывшись одеялом, он притворился больным солдатом, но был разоблачен своими солдатами. Позднее Власов и его единомышленники были осуждены Военным трибуналом и казнены.

Итак, окончательно рухнуло чудовищное фашистское государство. Советские Вооруженные Силы и войска союзников при содействии народно-освободительных сил Франции, Югославии, Польши, Чехословакии и других стран завершили разгром фашизма в Европе. Это был долгожданный и радостный конец Второй мировой войны, продолжавшейся почти шесть лет. С победным ее исходом были связаны лучшие надежды всего прогрессивного человечества.

Никто тогда еще тогда не предполагал, что вскоре последуют годы «холодной войны».

Война, развязанная гитлеровскими правителями, обошлась очень дорого и немецкому народу – семь миллионов только убитыми потеряла Германия в этой войне. Погибли и те, кто самоотверженно боролся против фашизма. В авангарде антифашистских сил всегда стояла Коммунистическая партия Германии. Более трехсот тысяч коммунистов было уничтожено в фашистских застенках. Немало погибло и борцов из числа левого крыла социал-демократии. Германскому народу, в числе других народов мира, пришлось перенести тяжкие страдания и муки.

Гитлеровский фашизм превратил немецкую молодежь, еще не достигшую зрелого возраста, в душегубов. Без капли сожаления расстреливали они, сжигали в печах живых людей, невзирая на возраст и пол.

Как это могло случиться с народом, давшим миру К. Маркса и Ф. Энгельса,

К. Либкнехта и Р. Люксембург, Э. Тельмана и других борцов за правое народное дело и коммунизм?

Как это могло произойти со страной, подарившей человечеству величайшие научные открытия, шедевры литературы и музыки, живописи и архитектуры, страной, где жили и творили гениальные Бах, Бетховен, Гете, Гейне и Альберт Эйнштейн?

Историки еще не раскрыли всю систему и методы, применявшиеся в гитлеровской Германии для формирования в сознании людей слепой веры в фашизм, в чванливое, неоправданное величие «немецкой расы», как высшей и «сверхчеловеческой», во всепобеждающую мощь германского государства.

Для перевоспитания людей в духе фашизма гитлеровцами была создана по всей стране гигантская разветвленная сеть слежки и шпионажа. Всех инакомыслящих фашисты бросали в застенки гестапо. Широко применялась система «кнута и пряника». Послушным, тем, которых привлекало мифическое величие Германии и мировое господство, широко раздавались различные награды, ордена и повышение в звании.

Все это, вместе взятое, делало свое дело. Одурманенные речами своих фашистских главарей, в том числе и самого фюрера, воодушевленные легкими победами над странами Европы, гитлеровцы послушно шли завоевывать и уничтожать. До тех пор, пока им не преградили путь Советские Вооруженные Силы, вдохновленные самыми справедливыми в мире идеями – свободы своей Родины, равноправия и независимости всех народов на земном шаре.

Война подвергла суровому испытанию и всесторонней проверке советский общественный и государственный строй. Эта проверка подтвердила его полное превосходство и жизненную силу. Ход и исход войны показали решающую роль в ней народных масс. Каждый советский человек, находившийся в рядах войск, в партизанских отрядах, на заводах, в конструкторских бюро, колхозах и совхозах, не жалея сил, вкладывал свою долю в разгром врага.

В тяжелых условиях, недоедая и недосыпая, трудились рабочие, колхозники, интеллигенция. Женщины и подростки сменяли тех, кто уходил на фронт. Все народное хозяйство, построенное на новой экономической базе, доказало свою прогрессивность. Наша промышленность в труднейших условиях вооруженной борьбы с сильным врагом, который нанес нам такой огромный материальный ущерб, сумела за годы войны произвести почти вдвое больше современной боевой техники, чем гитлеровская Германия, опиравшаяся на военный потенциал Европы.

Даже в самые трудные моменты, когда, казалось, враг должен был взять верх, советский народ не опустил рук, не согнулся под ударами противника, а, сплотившись вокруг Коммунистической партии, с честью преодолел все трудности и добился всемирно-исторической победы.

7 сентября 1945 года в Берлине состоялся парад войск в точно назначенное время. В нем приняли участие советские войска, штурмовавшие Берлин, американские, английские и французские войска, которые находились в Берлине для несения оккупационной службы в отведенных им секторах западной части города.

Объехав войска, построенные для прохождения торжественным маршем, Жуков произнес речь, в которой были отмечены исторические заслуги советских войск и экспедиционных сил союзников.

Пехота, танкисты и артиллеристы прошли в безукоризненном строю. Особо внушительное впечатление произвели танки и самоходная артиллерия. Из союзных войск лучшей строевой подготовкой отличились английские войска.

В районе, где проходил парад, собралось около двадцати тысяч берлинцев. Это было торжество, символизирующее победу стран антигитлеровской коалиции над кровавой фашистской агрессией.

После того как война закончилась, Георгий не оставил Лидочку. Они продолжали общаться. Она была рядом с ним в Москве, а когда Сталин отправил маршала в Одессу — поехала с ним. В Одессе Лидочка жила в квартире маршала, уходя на свою только тогда, когда из Москвы приезжала Александра Диевна.

Александра больше не могла терпеть такого положения и пошла уже проверенным путем. Она принялась писать заявления на Георгия и требовала, что разлучницу сослали с Сибирь.

В Сибирь Лиду не сослали, но перевели на другое место службы, а Георгию запретили с ней общаться.

Но для Александры это не было последним испытанием.

В 1950 году, будучи командующим войсками Уральского военного округа, маршал жил в Свердловске. Галина Семенова была почти на 30 лет младше 54-летнего маршала. Девушка служила в окружном госпитале. В это самое время у Жукова случился микроинфаркт, и Семенова приехала домой к маршалу. И снова закрутилось, завертелось...

Галина стала избранницей Георгия, верной женой, второй половинкой. Они были вместе, а когда не были – писали друг другу письма.

В 1953 году Жукова срочно вызвали в Москву. Недолго думая, Георгий устроил Галину в госпиталь имени Бурденко и помог получить в столице квартиру. К тому же в 1957 году Галина родила Жукову четвертую дочь – Машу.

«Родной мой, любимый Георгий! – писала Галина. – Второй день в Кисловодске, но душой пока дома. Долетела отлично. Встретила машина Министерства обороны. С нами ехали еще Сердюк З. Т. с женой. Поместили меня в отдельный, удобный люкс с ванной. Цыбины и Сердюки устроены скромнее, чем я, хотя я и просила дать мне маленькую комнату. Вторая половина дня прошла в тревоге – не работал телефон-автомат, а мне хотелось сообщить о благополучном приезде. Видя мою тревогу, персонал, отдыхающие – все включились, чтобы меня соединить с домом. После разговора с вами я сразу успокоилась. Погода солнечная, утром прохладно, сейчас 12 часов дня – жарко. Вечера прохладные.

Сегодня была у врача, у нас оказалось много знакомых. Она в 1957 году была в санатории МО, когда ты там был. Твой люкс № 11 до сих пор называют «жуковским». С моими назначениями она согласилась. Дополнительно буду пить коктейль с кислородом. Ванны противопоказаны. Больше гулять на воздухе.

Дорогой Георгий! Я очень скучаю по тебе и пока еще не перестроилась, но сделаю это, чтобы приехать здоровой, и снова буду помогать твоему выздоровлению, которое не за горами. Пиши мне чаще, мой родной! Твою книгу дарю своему врачу, она мечтает о ней. Обнимаю тебя и крепко целую. Твоя Галина».

«Милая моя, любимая Галюша! – отвечал Георгий. – Идет пятый день, как ты уехала, а я еще не привык находиться в одиночестве. Очень рад, что ты устроилась хорошо. У нас все идет по расписанию.

В Москве сегодня 6 градусов. Но я все-таки ходил на прогулку и занимался лечеб-

ной физкультурой. В 1957 году я отдыхал в санатории не в люксе № 11, который сейчас называют «жуковским», а в отдельной даче, там, где рядом расположены генеральские люксы – отдельные домики. Это недалеко от вокзала.

Имей в виду: З. Т. Сердюк вместе с Л. по заданию грозного Хруща вызывали меня и грозили спустить в «преисподнюю». Это было кажется в 1962 году.

Жду твоих писем.

Обнимаю и крепко, крепко целую твои умные, милые глаза! Всегда думающий о тебе. Твой Георгий».

«Родной, любимый!

Какая радость – получила письма от тебя и от Маши.

Я с каждым днем набираю силы, чувствую себя увереннее, хотя до «Храма воздуха» поднималась только два раза. Погода снова испортилась, моросит дождь, температура плюс десять. С 7 до 9 утра обяза-

тельно гуляю, так как рано ложусь спать. Иногда выхожу на прогулку и после обеда. Сегодня больше в постели, дождь, пишу письма, немного читаю.

Я счастлива, что тебе лучше. Ольга Михайловна почему-то не ответила мне на письмо.

Мне приятно, что у нас дома все по-прежнему. Началась заготовка овощей и яблок на зиму, как сообщает мама. А Машуля вязанием ажурных чулок очень меня порадовала, хотя об успехах в школе пишет мало, а тем более о музыке. Сегодня получила письма от Эры, Анны Давыдовны – отвечаю им.

Что слышно о выходе твоей книги за рубежом? С какими новостями приезжал Комолов?

Пиши по желанию, а главное, по самочувствию. Твои письма – это лучшее лекарство для меня. Сердечный привет маме, Машуле. Обнимаю и крепко целую, мой родной! Твоя Галина».

«Мой дорогой Георгий!

Я уже отдохнула, чувствую себя значительно лучше и уже стала скучать и тосковать. Хотелось бы быть рядом с тобой, но сознание, что Маше нужен отдых, заставляет меня пребывать здесь.

Здесь хорошо. Отдыхает 800 человек, но в столовой тихо и на улицах народу мало. Отдыхают врачи из госпиталя. У нас дачка близко от столовой, море также рядом. Пляж немноголюдный. Много народу в Майори. Мы были там. Все там заросло зеленью. Но Маша все же узнала эту дачку, главным образом дворик.

Вчера были в Домском соборе. Слушали «Реквием» Верди. Программу тебе посылаю. Это же мы слушали в исполнении итальянской оперы Ла Скала в Большом театре в 1963–1964 гг. Дирижировал тогда известный Караян. На органном концерте Маша скучала.

Днем 9 июля пригласили Лихачевы на обед. Однажды мы уже были у них. Он – за-

меститель командующего округом, очень милый добрый человек и большой твой почитатель.

Через 15 минут Маша бежит в бассейн. Там она в течение 1,5 часов занимается гимнастикой и плавает. В море вода холодная.

Питание достаточное. Иногда покупаем сыр и творог, яйца. Если ливень, завтракаем дома. У нас есть холодильник и газ. Здесь мало овощей и фруктов. Покупаю соки. Посылаю тебе сыр. Он нежирный. Сообщи – понравился ли? Сегодня поедем в Ригу показать Маше город.

Твоя забота о нас и нежность трогает меня до слез. А твое желание прислать нам сюда розы?!

За меня не беспокойся, береги себя. Как я понимаю, жизнь наша друг без друга немыслима».

Маршал жил на две семьи почти восемь лет – то с Галиной Семеновой, то с Александрой Зуйковой. Лишь в январе 1965 года Георгий Константинович оформил развод с Александрой и заключил брак с Галиной, с которой прожил до 1973 года.

Свалило Георгия известие о смертельной болезни любимого человека. В декабре 1967 года у Галины Александровны обнаружили рак молочной железы. Операция, которую ей тут же сделали, явно запоздала. В начале января 1968-го в подмосковном санатории «Архангельское» Георгий перенес тяжелейший инсульт и оказался парализован. Жизнь Георгия буквально висела на волоске, и Галя решилась на отчаянный шаг... После тяжелейшей операции, оставившей ее, молодую, сорокалетнюю женщину, инвалидом, слабая, бледная, еле-еле держась на ногах, она приехала в больницу к Георгию. Собрав последние силы, она хотела показать ему, что с ней уже все в порядке, что она уже почти здорова. Тем самым она страстно желала подбодрить его, вдохнуть в него угасавшую на глазах жизнь. После этого подвига Георгий медленно начала восстанавливаться.

Галина Александровна, получив инвалидность, вышла на пенсию и стала ухаживать за больным мужем. Она добилась приглашения лучших нейрохирургов мира, которым, однако, так и не удалось избавить Георгия от периодически мучивших его головных болей.

В марте 1971-го Георгий был избран делегатом XXIV съезда КПСС от Московской областной парторганизации. Однако состояние здоровье маршала требовало, чтобы на съезде рядом с ним постоянно был кто-то из близких. Галине гостевого билета на съезд не дали. Ей позвонил Брежнев и попросил уговорить Георгия поберечь себя и не ходить на съезд. В декабре того же года маршала наградили орденом Ленина в ознаменование 75-летия со дня рождения, однако центральная пресса получила секретное указание не привлекать излишнего внимания к жуковскому юбилею.

Еще в 1965 году Георгий Константинович предложил поселиться на даче в Сосновке двоюродному брату Михаилу Михайловичу Пилихину вместе с женой Клавдией Ильиничной. Они охотно приняли предложение и оставались с Жуковым до самого конца. Жила семья Пилихина в домике из двух комнат рядом с дачей. Михаил Михайлович имел свой участок и получал на нем неплохие урожаи яблок, овощей и клубники. Вместе с Георгием Константиновичем они ходили по грибы, на рыбалку и на охоту. А когда маршала разбил паралич, двоюродный брат помогал ему заново учиться ходить. Ходить Георгий самостоятельно не мог, и его с большим трудом выводили на веранду. Потом, через какое-то время, он стал выходить в сад. Из госпиталя привезли коляску, в которую усаживали Георгия. Возили его по саду, и он заметно стал поправляться. Через некоторое время Георгий решил не пользоваться коляской, а попросил с ним ходить. Он брался за руку Михаила своей левой рукой, а в правую брал палку, и так они гуляли по саду несколько минут. Постепенно он начал ходить почти хорошо, но все же с помощью. Георгий радовался, что здоровье стало к нему возвращаться, и как-то раз сказал:

– Вот теперь я скоро поправлюсь, и съезжу на рыбалку.

Но этой мечте не суждено было сбыться. Новое несчастье подкосило Георгия. В ноябре 1973-го Галина Александровна была госпитализирована в последний раз. Георгий писал ей в больницу: «Я живу одной надеждой на то, что у нас впереди будут светлые и счастливые дни...» И успел получить ответ: «Георгий, родной мой, любимый! Люблю тебя как прежде. Креплюсь, борюсь, надеюсь на лучшие дни и встречу с тобой дома». Этой встрече не суждено было состояться. 13 ноября 1973 года Галина Александровна скончалась.

Для Георгия Константиновича это был последний, страшный удар. Он повторял, что этого уже не переживет. После смерти жены Георгий почти все время провел в больнице. Его настиг новый инфаркт. Последние двадцать дней жизни он находился в коматозном состоянии. Сердце еще работало, но дыхание поддерживалось искусственно. Георгий Константинович Жуков умер в больнице на улице Грановского 18 июня 1974 года, накануне 17-летия своей младшей дочери.

Урну с прахом маршала похоронили у Кремлевской стены. Дочь Маша безуспешно просила Брежнева, чтобы отца не сжигали, а похоронили в землю, как он того желал.

Литературно-художественное издание
Величайшие истории любви

Орлова Валерия

Четыре любви маршала Жукова
Любовь как бой

Шеф-редактор *А. Боровик*
Младшие редакторы: *А. Бирюкова, А. Юсупова*
Корректор *И. Кулюхина*
Выпускающий редактор *Е. Крылова*
Художественное оформление: *Е. Калугина*
Фотография на обложке: *Shutterstock.com, DIOMEDIA / Universal Images Group / Sovfoto*
Компьютерная верстка: *Т. Мосолова*

Знак информационной продукции согласно
Федеральному закону от 29.12.2010 г. № 436-ФЗ

Подписано в печать 13.10.2014 г.
Формат 84x108/32. Гарнитура «NewBaskervilleC».
Усл. печ. л. 13,44. Тираж 3000 экз.
Заказ № 1746

ООО «Энтраст Трейдинг»
109147, г. Москва, ул. Большая Андроньевская, д. 23

Отпечатано в ОАО «Издательско-полиграфическое предприятие «Правда Севера».
163002, г. Архангельск, пр. Новгородский, 32.
Тел./Факс (8182) 64-14-54, тел.: (8182) 65-37-65, 65-38-78
www.ippps.ru, e-mail: zakaz@ippps.ru